乌兰巴托
Wūlánbātuō

黑龙江省
Hēilóngjiāng Shěng

● 哈尔滨
Hā'ěrbīn

内蒙古自治区
Nèi-Měnggǔ Zìzhìqū

● 长春
Chángchūn

吉林省
Jílín Shěng

北京
Běijīng

● 沈阳
Shěnyáng

辽宁省
Liáoníng Shěng

● 呼和浩特
Hūhéhàotè

zhìqū

平壤
Píngrǎng

石家庄
Shíjiāzhuāng

黄河

太原
Tàiyuán

河北省
Héběi Shěng

首尔
Shǒu'ěr

山西省
Shānxī Shěng

● 济南
Jǐnán

天津
Tiānjīn

山东省
Shāndōng Shěng

西安
Xī'ān

● 郑州
Zhèngzhōu

江苏省
Jiāngsū Shěng

西省
ǎnxī Shěng

河南省
Hénán Shěng

合肥
Héféi

南京
Nánjīng

长江

上海
Shànghǎi

湖北省
Húběi Shěng

武汉
Wǔhàn

安徽省
Ānhuī Shěng

重庆
hóngqìng

杭州
Hángzhōu

浙江省
Zhèjiāng Shěng

长沙
Chángshā

南昌 Nánchāng

江西省
Jiāngxī Shěng

福州
Fúzhōu

湖南省
Húnán Shěng

福建省
Fújiàn Shěng

台北
Táiběi

shěng

壮族自治区
gxī Zhuàngzú Zìzhìqū

广东省
Guǎngdōng Shěng

广州
Guǎngzhōu

香港
Xiānggǎng

南宁
ánníng

澳门
Àomén

海口
Hǎikǒu

海南省
Hǎinán Shěng

王 宇南・栗山雅央・著

一步一步
学汉语
初級実践
中国語

中国书店

はじめに

　このテキストは、書名を「一歩一歩学汉语——初級実践中国語」と名付けました。ここに込められた願いとねらいは、「一歩いっぽ着実に中国語を学んでいってほしい」ということと、「初級だからといって妥協することなく、実践的な中国語を学べるようにしたい」ということです。

　授業中に学生に「中国語は将来、役に立ちますか」といった類のことを質問されることがありますが、私自身は必ずや役に立つだろうと感じています。世界の中での中国の役割や日本国内での中国人の存在感などを想像してみると良いでしょう。商業施設などでの案内などを聞いていても、英語の次には、中国語か韓国語が続きますし、日本全国の有名な観光スポットを訪れてみれば、そこここで中国語を耳にすることができます。また、アルバイトなどでも同僚に中国人がいたり、お客として来店してきたりなど、身近なところに「中国」という存在があるのです。

　では、わたしたちが「中国」に触れようとする際に必要なものは何でしょうか。それはやはり「中国語」ということになるでしょう。もちろん、「中国語」でなくとも中国人とコミュニケーションを取ることはできますが、「中国語」を学ぶことで、中国人とより親密な関係を持つことができるでしょうし、中国人が伝えてきた文化にもより深く接することができるでしょう。どの言語でもそうですが、言語の習得はゴールではありません。あくまでコミュニケーションの入り口へと導いてくれるものであって、習得した言語を用いて実際に中国人や中国文化に触れて理解していくことこそが大事なことなのです。そうした意味でも、一歩ずつ着実に中国語を身につけてほしいと思います。

　このテキストの構成ですが、「実践的な中国語」の学習ができるように努めました。一課あたりは6頁構成で、本文が1頁、文法説明が1〜2頁、練習問題が書き取りと聞き取りで3〜4頁となっています。初級のテキストにしては聞き取りの問題が多くなっていますが、これは「中国語」をこれから学ぶみなさんにとって、「読み書き」よりも「聞いて話す」ことの方が、実際の生活で用いることが多いと思ったためです。中国語の発音は、日本人には耳慣れないものも多いので、最初は苦労するかもしれませんが、あきらめずに「一歩いっぽ」頑張ってください。そのほかに「読一読」として各課に一項を設けていますが、ここでは主に中国の小学生が学習する「漢詩」を挙げています。中には高校までの「漢文」の授業で習ったものもあるかもしれません。書き下しで「読む」ものと現代中国語で「聞く」ものは大きく異なりますので、中国語の心地よい響きを感じてもらえれば幸いです。

　一歩ずつ中国語を学んでいった先で、みなさんが言語の向こう側にある人や文化と触れあうことができるきっかけに、このテキストがなってくれればとても嬉しく思います。

　なお、西南学院大学・新谷秀明教授には本書の企画から編集等の各段階で多くのご助言をいただきました。

2019年12月　著者

目次

◉中国語の発音表記（ピンイン）について

　中国語は一般には漢字だけで表記されますが、私たちは漢字を見ただけではどういう発音をするのかがわかりません。そこで一定の規則によって、中国語の発音を表す記号が決められています。わたしたちは中華人民共和国を中心に用いられている、アルファベットを使った発音表記を学びます。これをピンイン（漢字では「拼音」）と呼びます。

　アルファベットを使うと言っても、英語やローマ字を読むときと同じように読めばいいのではありません。アルファベットはあくまで借りてきた記号ですから、中国語の発音に合うように修正しながら読まなければなりません。そのルールをこれから勉強していきます。

◉単母音 ◀))1

a o e i u ü er

a	口を大きく開け、「ア」と発音する。
o	口をやや丸く突き出し、「オ」と発音する。
e	口を自然に少しだけ開け、「エ」と「オ」の中間程度の音を出す。徐々に口を開けていく感じで。
i	力を入れて口を横に引き、「イ」と発音する。
u	口を丸く突き出し、「ウ」と発音する。
ü	「ユ」を発音する口の形で、口の中では「イ」という音を出す。
er	上記の "e" の音から舌をそり上げる。

　"a, o, i, u" は日本語の「ア、オ、イ、ウ」に似ているが、どれも日本語の発音よりオーバーな口の開け方をする。"e" は単独で発音される時、および "eng" という発音になる時にこの発音をし、"ei"、"ie"、"en" などの場合は「エ」に近い音になる。"ü" は音だけ聞くと "i" のようにも聞こえるが、口の形はむしろ「ユ」に近い。だから "u" と "ü" を続けて発音しても口の形はほとんど変わらない。

単母音と声調

● 声調（四声）　🔊2

中国語には四種類の抑揚があります。これを「声調」または「四声」と言います。

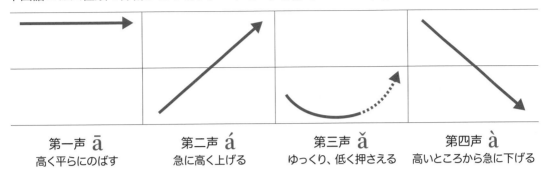

第一声 ā	第二声 á	第三声 ǎ	第四声 à
高く平らにのばす	急に高く上げる	ゆっくり、低く押さえる	高いところから急に下げる

❖ "jī"、"lí"、"bǐ"、"nì" のように、"i" は声調記号が付くと上の点がなくなります。

● 軽声　🔊3

中国語には四声のほかに、声調のない、短く発音する音が存在します。これを軽声と言い、声調符号は付けません。第一声から第四声の単母音の後に軽声が付くと、次のようになります。

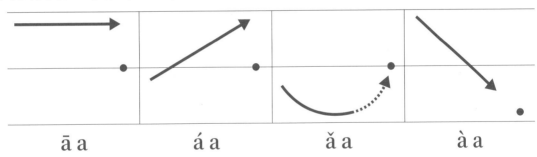

āa	áa	ǎa	àa

● 子音なしの表記

子音がなく母音だけの発音の場合、次のように表記します。

a, o, e, er（そのまま書く）	i ⇨ yi	u ⇨ wu	ü ⇨ yu

また、声調記号はそれぞれ "yī、wú、yǔ、èr" のように、"a、o、e、i、u" の上に付けるようにする。

● 隔音符号

"a、o、e" で始まる音節が他の音節に続けて置かれるときは、" '（隔音符号）" を用いて、音節と音節の区切りをはっきりさせる。

例：　西安 Xī'ān　　可爱 kě'ài　　女儿 nǚ'ér

7

❶ 二つの単母音を比べながら発音しなさい。　🔊 4

① a ── o　　　② u ── ü　　　③ e ── er

④ ü ── i　　　⑤ o ── e　　　⑥ i ── u

❷ 次の音節を発音しなさい。　🔊 5

① ā　　　② ěr　　　③ è　　　④ yú

⑤ yī　　　⑥ wǔ　　　⑦ ó

❸ 発音されたほうの音節に○をつけなさい。　🔊 6

① ǎ ── á　　　② yí ── yì　　　③ wù ── wú

④ ó ── ō　　　⑤ wǔ ── yǔ　　　⑥ ē ── ēr

⑦ yī ── yū　　　⑧ ò ── è

❹ 発音を聞いて声調符号をつけなさい。　🔊 7

① e　　　② yi　　　③ a

④ wu　　　⑤ o　　　⑥ yu

⑦ er

❺ 発音を聞いて音節を書きなさい。　🔊 8

① _____　　　② _____

③ _____　　　④ _____

⑤ _____　　　⑥ _____

⑦ _____　　　⑧ _____　_____

读一读 🔊9

0	1	2	3	4	5
líng	yī	èr	sān	sì	wǔ

6	7	8	9	10
liù	qī	bā	jiǔ	shí

十	百	千	万	亿	兆
shí	bǎi	qiān	wàn	yì	zhào

発音篇　第二課　子音

◉子音（声母）

	唇音	舌尖音	舌根音	舌面音	捲舌音	舌歯音	
	b（o）	d（e）	g（e）	j（i）	zh（i）	z（i）	⇨ 無気音
	p（o）	t（e）	k（e）	q（i）	ch（i）	c（i）	⇨ 有気音
	m（o）	n（e）	h（e）	x（i）	sh（i）	s（i）	
	f（o）	l（e）				r（i）	

（　）の中は基本とする母音

◉唇を使って出す音　b p m f 　◀))10

単母音 "o" をつけて "bo, po, mo, fo" と発音してみましょう。

b	バ行とパ行の中間程度の音をゆっくり出す。
p	一瞬唇を閉じ息を止めた感じを作ったあと、唇を開くと同時に勢いよく息を出す（強く息をはくのではなく、瞬間的に勢いよく）。
m	日本語のマ行とほぼ同じ。
f	英語の "f" の要領で下唇を少しかむ。

　　子音 "b" を「無気音」、"p" を「有気音」と言います。このあとに出てくる "d" と "t"、"g" と "k"、"j" と "q"、"zh" と "ch"、"z" と "c" もそれぞれ無気音と有気音の関係になります。

◉舌先を使って出す音　d t n l 　◀))11

単母音 "e" をつけて "de, te, ne, le" と発音してみましょう。

d	ダ行とタ行の中間程度の音をゆっくり出す。
t	舌先を歯の裏につけて一瞬息を止めたあと、勢いよく息を出す。
n	日本語のナ行とほぼ同じ。
l	英語の "l" と同じ。

子音

⊙ 舌の根元とのどの奥を使って出す音　g　k　h　🔊12

単母音 "e" をつけて "ge, ke, he" と発音してみましょう。

g	ガ行とカ行の中間程度の音をゆっくり出す。
k	舌の根元と上あごで一瞬息を止めたあと、勢いよく息を出す。
h	日本語のハ行よりももっとのどの奥から音を出す。寒いときに「ハーッ」と手に息を吹きかけるときの要領。

⊙ 舌面を使って出す音　j　q　x　🔊13

単母音 "i" をつけて "ji, qi, xi" と発音してみましょう。

j	「ジ」とだいたい同じ。
q	「チ」よりも勢いよく息を出す。
x	「シ」とだいたい同じ。

⊙ 舌をそらせて出す音（そり舌音）　zh　ch　sh　r　🔊14

単母音 "i" をつけて "zhi, chi, shi, ri" と発音してみましょう。

zh	まず舌をそらせて、舌先を上あごの前方の歯に近いところにつける。次に上あごと舌先の間からゆっくりと、「チ」と言うつもりで息を出す。音が出たあと舌先は上あごから離れる。日本語の「リ」の舌の動きとよく似ている。
ch	"zh" と同じ舌の形で勢いよく息を出す。
sh	舌先と上あごの間に少しすきまを開け、勢いよく息を出す。
r	舌先と上あごが、つくかつかないかの微妙な位置で、舌先を震わせるようにゆっくり息を出す（そり舌音につく単母音 "i" は、あまり口を横に引かず、自然に出る音になる）。

子音の発音

⦿ 舌先と歯を使って出す音　z　c　s　🔊15

単母音 "i" をつけて "zi, ci, si" と発音してみましょう。この場合注意することは、"z, c, s" に "i" がつくと本来の "i" の発音ではなく、「イ」の口の形を意識しながら発音する。

z	舌先と歯の裏をつけ、ゆっくり息を出す。
c	勢いよく息を出す。
s	舌先と歯の裏の間にすきまを開け、勢いよく息を出す。

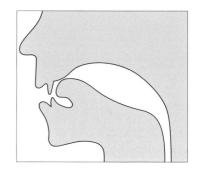

"zu, cu, su" という発音もあるので、しっかり区別をつけておきましょう。

⦿ "ü" の点の省略　🔊16

"ü" は子音なしのときは "yu" と書き、上の二つの点を省略します。そのほか、"j, q, x" にこの母音がつくときも点を書きません。"j, q, x" の後ろの "u" は実際には "ü" だということを覚えておきましょう。

lü	nü	ju	qu	xu
lüe	nüe	jue	que	xue
		juan	quan	xuan
		jun	qun	xun

🔊 練習問題

❶ 次の各組のピンインを比べながら発音しなさい。 🔊 17

① bù —— pù　　② chí —— qí　　③ zǐ —— zǔ

④ fù —— hù　　⑤ tū —— dū　　⑥ qú —— chú

⑦ zhè —— zè　　⑧ bā —— pā　　⑨ cì —— cù

⑩ xī —— sī　　⑪ lǔ —— lǔ　　⑫ shí —— sí

❷ 発音されたほうのピンインに〇をつけなさい。 🔊 18

① cē —— chē　　② bù —— dù　　③ fā —— huā

④ sǐ —— sǔ　　⑤ rè —— lè　　⑥ jū —— jī

⑦ chī —— qī　　⑧ shǎ —— sǎ　　⑨ sí —— xí

❸ 発音を聞いて子音を書きなさい。 🔊 19

① 驴　　　　② 猪　　　　③ 虎　　　　④ 鹿

ǘ　　　　　　ū　　　　　　ǔ　　　　　　ù

⑤ 蛇　　　　⑥ 蜘蛛　　　⑦ 蚂蚁　　　⑧ 兔子

é　　　　　ī　　　ū　　　ǎ　yǐ　　　ù　　　i

● 複合母音　🔊 20

　二つ以上の単母音が結合して形成された母音を複合母音といいます。次のようなものがあります。

ai	ei	ao	ou	
ia	ie	ua	uo	üe
iao	iou（-iu）			
uai	uei（-ui）			

　"ei、ie、üe" の "e" は、単母音の "e" とちがって「エ」に近い音になります。

　"iou, uei" は、前に子音がつくと真ん中の "o" と "e" が弱くなり、表記も "o" と "e" を省略し、"iu, ui" とつづります。

⊙ 子音なしの表記

　子音がつかない場合の表記上の法則は次のとおりです。

ia ⇨ ya	ie ⇨ ye
ua ⇨ wa	uo ⇨ wo
iao ⇨ yao	iou ⇨ you
uai ⇨ wai	uei ⇨ wei
üe ⇨ yue	

● 声調符号の位置

　複合母音に声調符号をつけるとき、どの文字の上につけてもいいのではなく、次のような優先順位があります。

① "a" があれば "a" の上につける。

② "a" がなければ "o" または "e" の上につける。（"o" と "e" が両方あることはない）

③ "u" と "i" しかなければ後のほうにつける。

🔊 練習問題

❶ 次の単語を発音しなさい。 🔊 21

① lǎoshī（老师） ② tóngxué（同学） ③ xuéxiào（学校）

④ shǒujī（手机） ⑤ shūbāo（书包） ⑥ Měiguó（美国）

⑦ huíjiā（回家） ⑧ niúnǎi（牛奶） ⑨ xiǎoshuō（小说）

⑩ zǒulù（走路） ⑪ xīguā（西瓜） ⑫ kuàizi（筷子）

❷ 発音を聞いて正しいピンイン表記のほうに○をつけなさい。 🔊 22

① jué ── jüé ② zhuèi ── zhuì ③ xiǔ ── xǐu

④ iǔ ── yǒu ⑤ lióu ── liú ⑥ tuō ── tōu

⑦ jià ── jà ⑧ yè ── iè ⑨ huò ── hòu

⑩ zǎo ── zǒu ⑪ uā ── huā ⑫ cāi ── zāi

❸ 発音を聞いて声調符号をつけなさい。 🔊 23

① lao ② bie ③ tou

④ niu ⑤ hua ⑥ guojia

⑦ jiejie ⑧ liushou ⑨ kaihui

⑩ yaoguai

❹ 発音を聞いて複母音と声調を書きなさい。 🔊 24

① d＿＿＿＿＿＿ ② j＿＿＿＿＿＿ ③ x＿＿＿＿＿＿

④ m＿＿＿＿＿＿ ⑤ h＿＿＿＿＿＿ ⑥ d＿＿＿＿x＿＿＿＿

⑦ b＿＿＿＿g＿＿ ⑧ k＿＿＿f＿＿＿ ⑨ j＿＿＿sh＿＿＿

⑩ x＿＿＿＿x＿＿＿＿

◉ 鼻母音 ◀)) 25

母音の末尾には "n" または "ng" を伴う場合があります。

前鼻音（-n）	後鼻音（-ng）
an　en	ang　eng　ong
ian　in	iang　ing　iong
uan　uen (-un)	uang　ueng
üan　ün	

⊙ 子音なしの場合は次のように表記します。

"an, ang, en, eng" はそのまま書き、"ong" には必ず子音がつきます。

ian ⇨ yan	uen ⇨ wen
iang ⇨ yang	ueng ⇨ weng
in ⇨ yin	üan ⇨ yuan
ing ⇨ ying	ün ⇨ yun
iong ⇨ yong	
uan ⇨ wan	
uang ⇨ wang	

⊙ "n" と "ng" の区別

　日本語で「アンナイ」と言うとき「ン」のように舌先で息を止める「ン」が "n"、「アンガイ」と言うときの「ン」のようにのど奥で息を止め、鼻から抜ける感じに発音するのが "ng" です。

　"n" と "ng" にはこのように基本的な区別がありますが、前につく母音の発音も "n" と "ng" の違いによって微妙に影響されます。次に個々の母音について、"n" と "ng" の違いを意識しながら練習しましょう。

鼻母音

an	あまり大きく口を開けない。
ang	an より大きく口を開けて、鼻から息が抜ける感じで。
en	「エン」に近い音。
eng	単母音の e の音 (エとオの中間程度) を出して ng につなぐ。
ian	a は「エ」に近く·なり、「イェン」と言う感じで。
iang	口を大きく開けて、「イアン」と言う感じで。
in	口をしっかり横にひっぱり「イン」と発音する。
ing	in より少し口の力を抜き、鼻から息が抜ける感じで。
ong	口をやや丸くして、「オン」に近い音を出す。
iong	i を発音したあと ong と続ける。
uan	口をあまり大きく開けず「ウァン」と発音する。但し「ァ」は「ェ」に近い音。
uang	口を大きく開けて、「ウアン」と発音し、鼻から息を抜く。
uen (-un)	「ウェン」と言う感じで発音する。但し子音が前につくと un とつづり、発音も真ん中の e は軽くなる。
ueng	単母音の e の音で、「ウォン」と言う感じで。
üan	ü を発音したあと an。
ün	ü を発音したあとすぐ n。

❶次のピンインを比べながら発音しなさい。　🔊 26

① fàn —— fàng　　　② bēn —— bēng　　　③ jīn —— jīng

④ hán —— háng　　　⑤ xiǎn —— xiǎng　　⑥ sōng —— xiōng

⑦ kàn —— kàng　　　⑧ cuán —— chuáng　⑨ zēn —— zēng

⑩ chǔn —— zhǔn　　⑪ yuǎn —— yǎn　　　⑫ yún —— hún

❷発音されたピンインに○をつけましょう。　🔊 27

① bēn —— bēng　　　② dèng —— dòng　　③ xiān —— xuān

④ chén —— chéng　　⑤ mèn —— mèng　　⑥ jīn —— jīng

⑦ rén —— réng　　　⑧ yàn —— yàng　　　⑨ zēn —— zēng

⑩ yín —— yíng　　　⑪ lín —— líng　　　⑫ nián —— niáng

❸発音を聞いて母音と声調を書きなさい。　🔊 28

① G (　　) zhōu　　② H (　　) zhōu　　③ Y (　　) n (　　)

　 广　州　　　　　　　 杭　州　　　　　　　 云　南

④ Rì　b (　　)　　　⑤ D (　　) j (　　)　⑥ Zh (　　) guó

　 日　本　　　　　　　 东　京　　　　　　　 中　国

⑦ X (　　) g(　　)　⑧ Fú　g (　　)　　⑨ Q (　　) dǎo

　 香　港　　　　　　　 福　冈　　　　　　　 青　岛

读一读 🔊 29

家 族 の 名 称

外 祖 母 （外 婆　姥 姥）　外 祖 父 （外 公　姥 爷）
wài zǔmǔ　（wàipó　lǎolao）　wài zǔfù　wàigōng　lǎoye)

祖 母（奶 奶）　祖 父（爷 爷）
zǔmǔ　（nǎinai）　zǔfù　（yéye）

妈 妈　爸 爸
māma　bàba

姐 姐　哥 哥　我　妹 妹　弟 弟
jiějie　gēge　wǒ　mèimei　dìdi

本書で使用する品詞の略号

動…動詞　　名…名詞　　形…形容詞　助…助詞　　助動…助動詞　代…代名詞

方…方位詞　前…前置詞　副…副詞　　接…接続詞　疑…疑問詞　量…量詞　感…感嘆詞

発音篇 第五課 変調とr化音

● 第三声の変調 🔊 30

第三声の後に第一声、第二声、第四声が続く場合、第三声の末尾は低く押さえたまま（これを「半三声」と呼ぶこともあります）。

ǎā（北京 Běijīng）　　　ǎá（语言 yǔyán）　　　ǎà（可爱 kě'ài）

第三声が連続する場合、最初の第三声は第二声のように発音される。但し声調符号はそのまま。
🔊 31

ǎǎ（你好 nǐ hǎo）

● 「一」の変調 🔊 32

「一 yī」は本来第一声ですが、後にくる発音の声調によって次のように変化します。

うしろに第一声、第二声、第三声がくると "yì" と第四声に変わります。
（例） yìtiān 一天　　　 yìtái 一台　　　 yìqǐ 一起

うしろに第四声と軽声がくると "yí" と第二声に変わります。
（例） yíshù 一束　　　 yíge 一个

ただし順番・番号や、二桁以上の数の一の位に現われた「一」などは第一声に読みます。
（例） yīhào 一号　　　 xīngqīyī 星期一　　　 shíyī 十一

● 「不」の変調 🔊 33

「不 bù」は本来第四声ですが、後に第四声の音が続くと第二声に変わります。

「不 bù」は本来第四声ですが、後に第四声の音が続くと第二声に変わります。
（例） bú shì 不是　　　 bú qù 不去

● r化音 🔊 34

いくつかの単語は語尾が巻き舌になる場合があります。発音記号では "r" だけをつけ、漢字では「ル」で表します。語尾が "n, ng, i" で終る語に "r" がつくと "n, ng, i" は発音されません。
（例） 花儿 huār　　　 玩儿 wánr　　　 一块儿 yíkuàir　　　 个儿 gèr
一点儿 yìdiǎnr　　　 香味儿 xiāngwèir　　　 鸟儿 niǎor　　　 空儿 kòngr

🔊 練習問題

❶ 発音を聞いて、読まれた母音に○をつけなさい。　🔊 35

① e —— o　　　② i —— ü　　　③ e —— er　　　④ ao —— ou

⑤ iu —— ui　　⑥ ie —— ei　　⑦ ian —— iang　⑧ un —— ün

⑨ in —— ing　⑩ ua —— uo

❷ 発音を聞いて、読まれた音節に○をつけなさい。　🔊 36

① fū —— hū　　② sì —— sù　　③ sǐ —— xǐ　　④ mē —— nē

⑤ lè —— rè　　⑥ jú —— jí　　⑦ gē —— kē　　⑧ guì —— kuì

⑨ zhē —— chē　⑩ cì —— cù　　⑪ zì —— zù　　⑫ chí —— qí

❸ 発音を聞いて、声調符号をつけ、さらに読みなさい。　🔊 37

① ti　　　　② zhu　　　③ gua　　　④ yue　　　⑤ qiu

⑥ he cha　⑦ lü xing　⑧ ye ye　　⑨ Han guo　⑩ liu lou

❹ 発音を聞いて、子音を書き取り、さらに読みなさい。　🔊 38

① (　) uān　　　　② (　) ā　　　　　③ (　) ái

④ (　) ǒ　　　　　⑤ (　) ǔ　　　　　⑥ (　) iào (　) iang

⑦ (　) áng (　) uáng　⑧ (　) īng (　) áng

⑨ (　) ī (　) ū　　⑩ (　) īng (　) ī (　) íng

❺ 発音を聞いて、母音と声調を書き取り、さらに読みなさい。　🔊 39

① z (　)　　　　② q (　)　　　　③ c (　)

④ t (　)　　　　⑤ g (　)　　　　⑥ p (　) q (　)

⑦ Ch (　) sh (　)　⑧ m (　) y (　)　⑨ f (　) zh (　)

⑩ y (　) x (　)　⑪ H (　) y (　)　⑫ z (　) l (　)

第六课 我去学校 （私は学校へ行きます） 🔊40
Wǒ qù xuéxiào

本课で学習すること

❶ 人称代名詞
❷ 動詞述語文 （肯定文　否定文　一般疑問文　疑問詞疑問文）
❸ 副詞「也」、「都」

本文 🔊42

A：早上 好！
B：早上 好！你 去 哪儿？
A：我 去 学校。
B：我 也 去 学校。
A：他们 也 都 去 学校 吗？
B：不，他们 不去，他们 去 图书馆。

本文のピンイン

A：Zǎoshang hǎo！
B：Zǎoshang hǎo! Nǐ qù nǎr？
A：Wǒ qù xuéxiào.
B：Wǒ yě qù xuéxiào.
A：Tāmen yě dōu qù xuéxiào ma？
B：Bù, tāmen bú qù, tāmen qù túshūguǎn.

語句 🔊41

早上好 zǎoshang hǎo おはようございます
你 nǐ 代 あなた
去 qù 動 行く
哪儿 nǎr 代 どこ
我 wǒ 代 私
学校 xuéxiào 名 学校
也 yě 副 〜も
他们 tāmen 代 彼ら
都 dōu 副 みな、すべて
吗 ma 助 〜ですか。（疑問をあらわす）
不 bù 〜ない。（否定をあらわす）
图书馆 túshūguǎn 名 図書館

你去哪儿？

我去学校

文法事項

1 人称代名詞 🔊43

	第一人称	第二人称	第三人称
単数	我 wǒ （私）	你 nǐ （あなた） 您 nín （你の敬称）	他 tā（彼） 她 tā（彼女） 它 tā（それ）
複数	我们 wǒmen （私たち）	你们 nǐmen （あなたたち）	他们 tāmen（彼ら） 她们 tāmen（彼女ら） 它们 tāmen（それら）

2 動詞述語文

中国語の動詞述語文は、基本的に「主語（S）+動詞（V）+目的語（O）」で成立する。「是」は動詞なので「A+是+B」になり、「AはBである」の意味となる。これらは否定文では動詞の前に「不」を置き、それぞれ「S+不+V+O」「A+不是+B」となる。また疑問文は文末に「吗」を置き、「S+V+O+吗」「A+是+B+吗」となる。併せて、疑問詞を用いる疑問文の場合は、語順の変化はなく、文末に疑問をあらわす「吗」を置く必要もない。

語句 🔊44

喝 hē 動 飲む
咖啡 kāfēi 名 コーヒー
什么 shénme 疑 何
吃 chī 動 食べる
拉面 lāmiàn 名 ラーメン
是 shì 動 〜です
中国人 Zhōngguórén 名 中国人
哪国人 nǎ guó rén どこの国の人

🔊45

我 喝 咖啡。
Wǒ hē kāfēi.

他 不喝 咖啡。
Tā bù hē kāfēi.

你 喝 咖啡 吗？
Nǐ hē kāfēi ma？

你 喝 什么？
Nǐ hē shénme？

我 吃 拉面。
Wǒ chī lāmiàn.

她 不吃 拉面。
Tā bù chī lāmiàn.

你 吃 拉面 吗？
Nǐ chī lāmiàn ma？

你 吃 什么？
Nǐ chī shénme？

我们 是 中国人。
Wǒmen shì Zhōngguórén.

他们 不是 中国人。
Tāmen bú shì Zhōngguórén.

你们 是 中国人 吗？
Nǐmen shì Zhōngguórén ma？

你们 是 哪 国 人？
Nǐmen shì nǎ guó rén？

文法事項

◀)) 47

3 副詞「也」、「都」

「也」は「〜も」を意味し、「都」は「みな、すべて」を意味する。副詞は、基本的に動詞・形容詞の前に置かれる。

※「也」と「都」を同時に用いるときは、「也都」となる。

語句 ◀)) 46

日本人 Rìběnrén 名 日本人

你 也 喝 咖啡 吗？
Nǐ yě hē kāfēi ma ?

你们 都 去 学校 吗？
Nǐmen dōu qù xuéxiào ma ?

我 是 日本人，
Wǒ shì Rìběnrén,

他 也 是 日本人，我们 都 是 日本人。
Tā yě shì Rìběnrén, wǒmen dōu shì Rìběnrén.

他 吃 拉面，你们 也 都 吃 拉面 吗？
Tā chī lāmiàn, nǐmen yě dōu chī lāmiàn ma ?

读一读   ◀)) 48

「春 晓（春暁）」
chūn xiǎo

孟 浩然（孟 浩然）
Mèng Hàorán

春 眠 不 觉 晓，
chūnmián bù jué xiǎo,

处 处 闻 啼 鸟。
chù chù wén tí niǎo.

夜 来 风 雨 声，
yè lái fēng yǔ shēng,

花 落 知 多 少。
huā luò zhī duō shǎo.

春眠 暁を覚えず、

処々 啼鳥を聞く。

夜来 風雨の声、

花落つること知る多少ぞ。

✏ 練習問題

❶ イラストを見て、単語とピンインを書きなさい。

①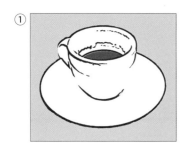

単語：_____

ピンイン：_____

②

単語：_____

ピンイン：_____

③

単語：_____

ピンイン：_____

④

単語：_____

ピンイン：_____

⑤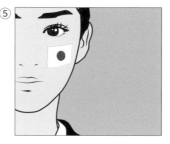

単語：_____

ピンイン：_____

⑥

単語：_____

ピンイン：_____

❷ 語句を並べ替えて文を作り、日本語に訳しなさい。

① 茶　不　她们　喝

_____　訳 _____

② 吗　是　他　学生　？

_____　訳 _____

③ 教室　你们　去　都　吗　？

_____　訳 _____

④ 吗　去　食堂　也　你　？

_____　訳 _____

⑤ 吃　我　咖喱饭　也

_____　訳 _____

語句　🔊 49		
茶 chá 名 お茶	**教室** jiàoshì 名 教室	**咖喱饭** gālífàn 名 カレーライ
学生 xuésheng 名 学生	**食堂** shítáng 名 食堂	ス

❸ それぞれの文の答えになる文を選び、完成した対話を訳しなさい。

① 你是学生吗？
② 你吃咖喱饭吗？
③ 他们是哪国人？
④ 你喝什么？
⑤ 我去图书馆，你们也去图书馆吗？

Ⓐ 他们是中国人。
Ⓑ 我不是学生。
Ⓒ 我喝茶。
Ⓓ 我去，她不去。
Ⓔ 我不吃咖喱饭。

① ☐　訳：

② ☐　訳：

③ ☐　訳：

④ ☐　訳：

⑤ ☐　訳：

❹ 下記の日本語を中国語に訳しなさい。

① 私はカレーライスを食べません。私はラーメンを食べます。彼もラーメンを食べます。あなたは何を食べますか？

② 私たちは学生です。彼らも全員学生です。

🔊 聞き取り問題

❶ 音声を聞いて単語を選び、ピンインを書きなさい。　🔊 50

Ⓐ 中国人	Ⓑ 日本人	Ⓒ 他们	Ⓓ 图书馆
Ⓔ 吃	Ⓕ 喝	Ⓖ 去	Ⓗ 学校

① ☐ ピンイン：＿＿＿＿＿＿＿＿＿＿　② ☐ ピンイン：＿＿＿＿＿＿＿＿＿＿

③ ☐ ピンイン：＿＿＿＿＿＿＿＿＿＿　④ ☐ ピンイン：＿＿＿＿＿＿＿＿＿＿

⑤ ☐ ピンイン：＿＿＿＿＿＿＿＿＿＿　⑥ ☐ ピンイン：＿＿＿＿＿＿＿＿＿＿

⑦ ☐ ピンイン：＿＿＿＿＿＿＿＿＿＿　⑧ ☐ ピンイン：＿＿＿＿＿＿＿＿＿＿

❷ 音声を聞いて、読み上げられた言葉がイラストの内容と一致する場合には「✓」を、一致しない場合には「✕」を書きなさい。　🔊 51

① ☐　② ☐　③ ☐

④ ☐　⑤ ☐　⑥ ☐

❸ 音声を聞いて、問いに対する答えとして正しいもの選びなさい。　🔊 52

① 他是中国人吗？
　Ⓐ 是　　Ⓑ 不是　　☐

② 她去哪儿？
　Ⓐ 学校　　Ⓑ 图书馆　　Ⓒ 食堂　　☐

③ 他喝咖啡吗？
　Ⓐ 喝　　Ⓑ 不喝　　☐

④ 他去学校吗？
　Ⓐ 他去学校。　　Ⓑ 他不去学校。　　☐

⑤ 他是哪国人？
　Ⓐ 他是日本人。　　Ⓑ 他是中国人。　　☐

本课で学習すること

1 名前の尋ね方・言い方　　　2 100までの数字
3 年齢の尋ね方・言い方　　　4 「呢」の使い方

本 文　◀))55

A：你好！你 叫 什么 名字？

B：我 叫 刘 丽丽。你 呢？

A：我 姓 佐藤，叫 佐藤 和也。

B：你 今年 多大？

A：我 今年 19 岁，你 呢？

B：我 20 岁。

語句　◀))54

你好 nǐ hǎo こんにちは
叫 jiào 動 〜と言います
名字 míngzi 名 名前（フルネーム）
刘 丽丽 Liú Lìli 名 劉 麗麗
呢 ne 助 〜は？
姓 xìng 名 名字
佐藤 和也 Zuǒténg Héyě 名 佐藤 和也
今年 jīnnián 名 今年
多大 duō dà 何歳ですか？
岁 suì 量 歳

本文のピンイン

A：Nǐ hǎo ! Nǐ jiào shénme míngzi ?

B：Wǒ jiào Liú Lìli. Nǐ ne ?

A：Wǒ xìng Zuǒténg, jiào Zuǒténg Héyě.

B：Nǐ jīnnián duō dà ?

A：Wǒ jīnnián shíjiǔ suì, nǐ ne ?

B：Wǒ èrshí suì.

你叫什么名字？

文法事項

1 名前の尋ね方・言い方

中国語で名前を尋ねたり述べたりする場合、名字のみを述べるときは「姓」を用い、姓名を述べるときは「叫」を用いることに注意する。

語句 🔊 56

您贵姓 Nín guì xìng あなたの名字はなんですか?

王 Wáng 名（名字）王

张 Zhāng 名（名字）張

李梅 Lǐ Méi 名（姓名）李梅

🔊 57

您 贵 姓?
 Nín guì xìng ?

我 姓 王。
 Wǒ xìng Wáng.

她 姓 什么?
 Tā xìng shénme ?

她 姓 张。
 Tā xìng Zhāng.

你 叫 什么 名字?
 Nǐ jiào shénme míngzi ?

我 姓 李, 叫 李梅。
 Wǒ xìng Lǐ, jiào Lǐ Méi.

他 叫 什么?
 Tā jiào shénme ?

他 叫 佐藤 和也。
 Tā jiào Zuǒténg Héyě.

2 100までの数字の読み方

1から10までを覚えてしまえば、後は日本語と同じ感覚（21「にじゅういち」は「二+十+一」）で数えてよい。

🔊 58

0	1	2	3	4	5	6
零	一	二	三	四	五	六
líng	yī	èr	sān	sì	wǔ	liù
7	8	9	10	11	12	20
七	八	九	十	十一	十二	二十
qī	bā	jiǔ	shí	shíyī	shí'èr	èrshí

21	30	40	100
二十一	三十	四十	一百
èrshí yī	sānshí	sìshí	yìbǎi

3 年齢の尋ね方・言い方

相手の年齢によって尋ね方が異なることに注意する。10歳以下の子どもに対しては「几岁」を、青壮年には「多大」を、老年や目上の人には「多大岁数」を用いる。

🔊 60

他 几 岁?
 Tā jǐ suì ?

他 5 岁。
 Tā wǔ suì.

你 今年 多大?
 Nǐ jīnnián duō dà ?

我 今年 21 岁。
 Wǒ jīnnián èrshí yī suì.

您 多大 岁数?
 Nín duō dà suìshu ?

我 73 岁。
 Wǒ qīshí sān suì.

語句 🔊 59

几 jǐ 疑 いくつ

岁数 suìshu 名 年齢

4 「呢」の使い方

ある内容に対して、対象の場合を尋ねる言い方。「私は日本人です。あなたは（どこの国の人）?」の「〜は?」に該当する。主に名詞に直接連なるかたちで置かれる。

🔊 61

我 叫 刘丽丽, 你 呢?
 Wǒ jiào Liú Lìli, nǐ ne ?

我 不喝 咖啡, 你 呢?
 Wǒ bù hē kāfēi, nǐ ne ?

我 今年 20 岁, 你 呢?
 Wǒ jīnnián èrshí suì, nǐ ne ?

❶ イラストを見て、数字のピンインを書きなさい。

① 6   ② 8   ③ 0

ピンイン：＿＿＿＿　　ピンイン：＿＿＿＿　　ピンイン：＿＿＿＿

④ 10   ⑤ 2   ⑥ 9

ピンイン：＿＿＿＿　　ピンイン：＿＿＿＿　　ピンイン：＿＿＿＿

❷ 語句を並べ替えて文を作り、日本語に訳しなさい。

① 叫　他　名字　什么　？ ＿＿＿＿＿＿＿＿＿＿＿＿＿＿＿＿

　　　　　　　　　　　　訳：＿＿＿＿＿＿＿＿＿＿＿＿＿＿＿

② 岁数　今年　多大　您　？ ＿＿＿＿＿＿＿＿＿＿＿＿＿＿＿

　　　　　　　　　　　　訳：＿＿＿＿＿＿＿＿＿＿＿＿＿＿＿

③ 咖喱饭　吃　我　呢　你　？ ＿＿＿＿＿＿＿＿＿＿＿＿＿＿

　　　　　　　　　　　　訳：＿＿＿＿＿＿＿＿＿＿＿＿＿＿＿

④ 中国人　我　是　呢　你　？ ＿＿＿＿＿＿＿＿＿＿＿＿＿＿

　　　　　　　　　　　　訳：＿＿＿＿＿＿＿＿＿＿＿＿＿＿＿

⑤ 佐藤　叫　佐藤和也　我　姓 ＿＿＿＿＿＿＿＿＿＿＿＿＿＿

　　　　　　　　　　　　訳：＿＿＿＿＿＿＿＿＿＿＿＿＿＿＿

練習問題

❸ それぞれの文の答えになる文を選び、完成した対話を訳しなさい。

①你几岁？	Ⓐ我今年18岁。
②你今年多大？	Ⓑ我也是日本人。
③我是日本人，你呢？	Ⓒ我不喝茶，我喝咖啡。
④我喝茶，你呢？	Ⓓ我8岁。
⑤您多大岁数？	Ⓔ我68岁。

① ☐　訳：_____

_____

② ☐　訳：_____

_____

③ ☐　訳：_____

_____

④ ☐　訳：_____

_____

⑤ ☐　訳：_____

_____

❹ イラストを見て中国語で文章を作りなさい。

刘丽丽，20岁

佐藤和也，19岁

李梅，7岁

_____

_____

_____

_____

_____

_____

❶ 音声を聞いて単語を選び、ピンインを書きなさい。　◀) 62

| Ⓐ 20 | Ⓑ 今年 | Ⓒ 60 | Ⓓ 名字 |
| Ⓔ 18 | Ⓕ 岁数 | Ⓖ 16 | Ⓗ 99 |

① ☐　ピンイン：_____　② ☐　ピンイン：_____

③ ☐　ピンイン：_____　④ ☐　ピンイン：_____

⑤ ☐　ピンイン：_____　⑥ ☐　ピンイン：_____

⑦ ☐　ピンイン：_____　⑧ ☐　ピンイン：_____

❷ 音声を聞いて、読み上げられた言葉がイラストの内容と一致する場合には「✓」を、一致しない場合には「×」を書きなさい。　◀) 63

① ☐　佐藤和也

② ☐　刘丽丽

③ ☐　15歳

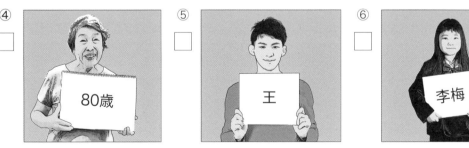

④ ☐　80歳

⑤ ☐　王

⑥ ☐　李梅

🔊 聞き取り問題

❸ 音声を聞いて、中国語で書き取り、さらに中国語で答えなさい。　🔊 64

① 問：＿＿＿＿＿＿＿＿＿＿＿＿＿＿＿＿＿＿＿＿＿＿＿＿＿＿

　　答：＿＿＿＿＿＿＿＿＿＿＿＿＿＿＿＿＿＿＿＿＿＿＿＿＿＿

② 問：＿＿＿＿＿＿＿＿＿＿＿＿＿＿＿＿＿＿＿＿＿＿＿＿＿＿

　　答：＿＿＿＿＿＿＿＿＿＿＿＿＿＿＿＿＿＿＿＿＿＿＿＿＿＿

③ 問：＿＿＿＿＿＿＿＿＿＿＿＿＿＿＿＿＿＿＿＿＿＿＿＿＿＿

　　答：＿＿＿＿＿＿＿＿＿＿＿＿＿＿＿＿＿＿＿＿＿＿＿＿＿＿

④ 問：＿＿＿＿＿＿＿＿＿＿＿＿＿＿＿＿＿＿＿＿＿＿＿＿＿＿

　　答：＿＿＿＿＿＿＿＿＿＿＿＿＿＿＿＿＿＿＿＿＿＿＿＿＿＿

⑤ 問：＿＿＿＿＿＿＿＿＿＿＿＿＿＿＿＿＿＿＿＿＿＿＿＿＿＿

　　答：＿＿＿＿＿＿＿＿＿＿＿＿＿＿＿＿＿＿＿＿＿＿＿＿＿＿

读一读　🔊 65

绕 口 令
rào kǒu lìng

四 是 四，十 是 十。
sì shì sì, shí shì shí.

十四 是 十四，四十 是 四十。
shísì shì shísì, sìshí shì sìshí.

四十 不是 十四，十四 不是 四十。
sìshí búshì shísì, shísì búshì sìshí.

本课で学習すること

1 年月日の言い方
2 曜日の言い方
3 反復疑問文

本文　🔊 68

A：今天　是　几　月　几　号？

B：今天　是　五月　三号。

A：明天　是　星期几？

B：明天　是　星期六。

A：下　星期日　是不是　五月　十一号？

B：不是，是　五月　十二号。

語句　🔊 67
今天 jīntiān 名 今日
月 yuè 名 月
号 hào 名 日
明天 míngtiān 名 明日
星期 xīngqī 名 周、曜日
星期六 xīngqīliù 名 土曜日
下星期日 xià xīngqīrì 名 来週の日曜日

本文のピンイン

A：Jīntiān shì jǐ yuè jǐ hào?

B：Jīntiān shì wǔ yuè sān hào.

A：Míngtiān shì xīngqī jǐ?

B：Míngtiān shì xīngqīliù.

A：Xià xīngqīrì shì bu shì wǔ yuè

　　shíyī hào?

B：Bú shì, shì wǔ yuè shí'èr hào.

今天是几月几号？

文法事項

1　年月日の言い方

年は「年」、月は「月」、日は「号（日）」となる。年を述べる場合、日本語と異なり、数字の羅列のまま（2019年は「二＋零＋一＋九＋年」）発音すればよい。目的語が日付・時刻の場合は「是」を省略することがある。否定文は「是」が必要。

🔊 70

年 nián	2020年 èr líng èr líng nián	1998年 yī jiǔ jiǔ bā nián
月 yuè	一月 yī yuè	二月…十二月 èr yuè … shí'èr yuè
这个月 zhè ge yuè	上个月 shàng ge yuè	下个月 xià ge yuè
日 / 号 rì / hào	八日 bā rì	十五号 shíwǔ hào

今天 是 2020年 5月 3号。
Jīntiān shì èr líng èr líng nián wǔ yuè sān hào.

語句　　🔊 69
年 nián 名 年
这个月 zhè ge yuè 名 今月
上个月 shàng ge yuè 名 先月
下个月 xià ge yuè 名 来月
日 rì 名 日
今年 jīnnián 名 今年
前天 qiántiān 名 一昨日
后天 hòutiān 名 明後日

今年 是 二〇二几年？
Jīnnián shì èr líng èr jǐ nián？

明天 不是 六月 二号。
Míngtiān bú shì liù yuè èr hào.

前天 是 五月 一号 吗？
Qiántiān shì wǔ yuè yī hào ma？

后天 是 几月 几号？
Hòutiān shì jǐ yuè jǐ hào？

2 曜日の言い方

曜日は「星期」を用い、「一、二、三、四、五、六、天（日）」がそれぞれ「月、火、水、木、金、土、日」に対応する。日曜日は「星期七」とはならない。なお、「星期」の代わりに「礼拜（lǐbài）、周（zhōu）」を用いる場合もある。

🔊 72

星期一 xīngqīyī	星期二… xīngqī'èr …	星期六 xīngqīliù
星期日 xīngqīrì	上星期三 shàng xīngqīsān	下星期四 xià xīngqīsì

昨天 是 星期六，不是 星期日。
Zuótiān shì xīngqīliù, bú shì xīngqīrì.

語句　　🔊 71
上星期 shàng xīngqī 名 先週
下星期 xià xīngqī 名 来週
昨天 zuótiān 名 昨日

今天 是 星期几？
Jīntiān shì xīngqī jǐ？

上星期五 是 几 月 几 号？
Shàng xīngqīwǔ shì jǐ yuè jǐ hào？

3 反復疑問文

一文の中に肯定形と否定形を並べる（「是」と「不是」なら「是不是」）ことで疑問文とする。そのため、文末に疑問をあらわす「吗」は必要ない。答えるときは、肯定と否定の一方を選ぶだけでよい。

🔊 73

今天 是不是 六月 三号？
Jīntiān shì bu shì liù yuè sān hào？

他 是不是 日本人？
Tā shì bu shì Rìběnrén？

你 喝不喝 咖啡？
Nǐ hē bu hē kāfēi？

❶ 下記の年月日の読み方をピンインで書きなさい。

①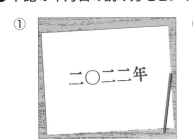

ピンイン：＿＿＿＿＿＿＿

②

ピンイン：＿＿＿＿＿＿＿

③

ピンイン：＿＿＿＿＿＿＿

④

ピンイン：＿＿＿＿＿＿＿

⑤

ピンイン：＿＿＿＿＿＿＿

⑥

ピンイン：＿＿＿＿＿＿＿

❷ 語句を並べ替えて文を作り、日本語に訳しなさい。

① 五　明天　星期　是

＿＿＿＿＿＿＿＿＿＿＿＿＿＿＿

訳：＿＿＿＿＿＿＿＿＿＿＿＿＿＿

② 是　不　昨天　十八号　七月

＿＿＿＿＿＿＿＿＿＿＿＿＿＿＿

訳：＿＿＿＿＿＿＿＿＿＿＿＿＿＿

③ 几　后天　是　星期？

＿＿＿＿＿＿＿＿＿＿＿＿＿＿＿

訳：＿＿＿＿＿＿＿＿＿＿＿＿＿＿

④ 吗　前天　十号　六月　是？

＿＿＿＿＿＿＿＿＿＿＿＿＿＿＿

訳：＿＿＿＿＿＿＿＿＿＿＿＿＿＿

⑤ 二〇二〇年　今天　十二月　一日　是

＿＿＿＿＿＿＿＿＿＿＿＿＿＿＿

訳：＿＿＿＿＿＿＿＿＿＿＿＿＿＿

✎ 練習問題

---

❸ それぞれの文の答えになる文を選び、完成した対話を訳しなさい。

① 今天是四月三十号吗？	Ⓐ 明天是星期五。
② 明天是星期几？	Ⓑ 今年是二〇二一年。
③ 今年是二〇二几年？	Ⓒ 十月三号是星期一。
④ 星期三是几月几号？	Ⓓ 不是，是四月二十九号。
⑤ 十月三号是星期几？	Ⓔ 八月四号。

① ☐　　訳：_____

_____

② ☐　　訳：_____

_____

③ ☐　　訳：_____

_____

④ ☐　　訳：_____

_____

⑤ ☐　　訳：_____

_____

❹ イラストを見て中国語で文章を作りなさい。

_____

_____

_____

_____

_____

_____

❶ 音声を聞いて単語を選び、ピンインを書きなさい。　🔊74

Ⓐ 今年	Ⓑ 1998年	Ⓒ 这个月	Ⓓ 上星期
Ⓔ 星期日	Ⓕ 星期几	Ⓖ 十月	Ⓗ 二月
Ⓘ 明天	Ⓙ 后天	Ⓚ 昨天	Ⓛ 今天

① ☐　ピンイン：＿＿＿＿＿＿＿　② ☐　ピンイン：＿＿＿＿＿＿＿

③ ☐　ピンイン：＿＿＿＿＿＿＿　④ ☐　ピンイン：＿＿＿＿＿＿＿

⑤ ☐　ピンイン：＿＿＿＿＿＿＿　⑥ ☐　ピンイン：＿＿＿＿＿＿＿

⑦ ☐　ピンイン：＿＿＿＿＿＿＿　⑧ ☐　ピンイン：＿＿＿＿＿＿＿

⑨ ☐　ピンイン：＿＿＿＿＿＿＿　⑩ ☐　ピンイン：＿＿＿＿＿＿＿

⑪ ☐　ピンイン：＿＿＿＿＿＿＿　⑫ ☐　ピンイン：＿＿＿＿＿＿＿

❷ 音声を聞いて、読み上げられた言葉がイラストの内容と 一致する場合には「✓」を、一致しない場合には「×」を書きなさい。　🔊75

🔊 聞き取り問題

❸ 音声を聞いて、問いに対する答えとして正しいもの選びなさい。　🔊 76

① 今天是星期几？　　　□

    Ⓐ 星期一　　　　　　　Ⓑ 星期日　　　　　　　Ⓒ 星期四

② 前天是二月十六号吗？　□

    Ⓐ 是　　　　　　　　　Ⓑ 不是

③ 星期三是几月几号？　　□

    Ⓐ 二月一号　　　　　　Ⓑ 一月二号　　　　　　Ⓒ 十二月一号

④ 今年是二〇二几年？　　□

    Ⓐ 2028年　　　　　　　Ⓑ 2021年　　　　　　　Ⓒ 2025年

⑤ 明天是星期一吗？　　　□

    Ⓐ 是　　　　　　　　　Ⓑ 不是

读一读　🔊 77

「登 乐 游 原」（楽遊原に登る）
dēng　lè　yóu　yuán

李 商 隐（李商隠）
Lǐ Shāngyǐn

向 晚 意 不 适，
xiàng wǎn yì bú shì,

驱 车 登 古 原。
qū chē dēng gǔ yuán.

夕 阳 无 限 好，
xī yáng wú xiàn hǎo,

只 是 近 黄 昏。
zhǐ shì jìn huáng hūn.

晚れに向かいて意 適わず、
車を駆りて古原に登る。
夕陽は限り無く好く、
只だ是れ黄昏に近し。

本课で学習すること

1 「吧」の使い方
2 時刻の言い方
3 前置詞「在」

本 文　🔊80

A：明天 我们 一起 吃 午饭 吧？

B：好啊！ 几点？

A：中午 十二点半，怎么样？

B：没问题！ 在 哪儿 见面？

A：在 食堂 见面 吧。

B：好的，明天见！

本文のピンイン

A：Míngtiān wǒmen yìqǐ chī wǔfàn ba ?

B：Hǎo a ! Jǐ diǎn ?

A：Zhōngwǔ shí'èr diǎn bàn, zěnmeyàng ?

B：Méiwèntí ! Zài nǎr jiànmiàn ?

A：Zài shítáng jiànmiàn ba.

B：Hǎode, míngtiān jiàn !

語句　🔊79
一起 yìqǐ 副 一緒に
午饭 wǔfàn 名 昼食
吧 ba 助 ～しましょう、～ですよね
好啊 hǎo a いいですね
几点 jǐ diǎn 疑 何時？
中午 zhōngwǔ 名 正午
十二点半 shí'èr diǎn bàn 名 12時半
怎么样 zěnmeyàng 疑 どうですか？
没问题 méiwèntí 問題ない
在 zài 前 ～で
见面 jiànmiàn 動 会う
好的 hǎode わかりました
明天见 míngtiānjiàn 明日会いましょう

一起吃午饭吧

文法事項

1 「吧」の使い方

「A＋是＋B＋吧」や「S＋V＋O＋吧」のように文末に「吧」を置いて、軽い疑問（〜ですよね）や命令（〜しましょう）、勧誘・提案（〜しましょう）などの意味を示す。

🔊82

他 是 佐藤 和也 吧？
Tā shì Zuǒténg Héyě ba？

你 不是 日本人 吧？
Nǐ bú shì Rìběnrén ba？

我们 一起 去 书店 吧？
Wǒmen yìqǐ qù shūdiàn ba？

别 客气，你 吃 吧！
Bié kèqi, nǐ chī ba！

语句 🔊81
书店 shūdiàn 名 本屋
别客气 bié kèqi 遠慮しないで

2 時刻の言い方

「〜時〜分」は、中国語では「〜点〜分」となる。時間を尋ねる場合は、「几点」となる。また、分数が一桁の場合は「零」を挟む（「1:05」は「一点零五分」）。「15分・30分・45分」はそれぞれ「一刻・半・三刻」を用いることもある。

🔊84

早上	上午	中午
zǎoshang	shàngwǔ	zhōngwǔ
下午	晚上	现在
xiàwǔ	wǎnshang	xiànzài

1:00 一点 yīdiǎn　2:00 两点 liǎngdiǎn　6:05 六点零五（分）liùdiǎn líng wǔ (fēn)

8:15
八点十五（分）／八点一刻
bādiǎn shíwǔ (fēn) / bādiǎn yíkè

9:30
九点三十（分）／九点半
jiǔdiǎn sānshí (fēn) / jiǔdiǎn bàn

12:45
十二点四十五（分）／十二点三刻
shí'èr diǎn sìshíwǔ (fēn) / shí'èr diǎn sānkè

现在（是）几点？
Xiànzài (shì) jǐ diǎn?

现在（是）晚上十点。
Xiànzài (shì) wǎnshang shídiǎn.

语句 🔊83
早上 zǎoshang 名 朝
上午 shàngwǔ 名 午前
下午 xiàwǔ 名 午後
晚上 wǎnshang 名 夕方
现在 xiànzài 名 現在
点 diǎn 量 時
分 fēn 量 分
刻 kè 量 15分
半 bàn 数 30分、半

3 前置詞「在」

前置詞の「在」は「〜で」を意味する。基本的に述語の前に「S＋在＋（場所）＋V＋O」のように置かれ、前置詞の「在」の後は一般に「場所」を意味する言葉が置かれることに注意する。

🔊86

我 在 食堂 吃 饭。
Wǒ zài shítáng chī fàn.

她 下午 在 图书馆 看 书。
Tā xiàwǔ zài túshūguǎn kàn shū.

他们 明天 在 哪儿 见面？
Tāmen míngtiān zài nǎr jiànmiàn？

语句 🔊85
看 kàn 動 見る、読む　**书** shū 名 本

❶ イラストを見て、単語とピンインを書きなさい。

①

単語：＿＿＿＿＿＿＿＿＿＿

ピンイン：＿＿＿＿＿＿＿＿

②

単語：＿＿＿＿＿＿＿＿＿＿

ピンイン：＿＿＿＿＿＿＿＿

③

単語：＿＿＿＿＿＿＿＿＿＿

ピンイン：＿＿＿＿＿＿＿＿

④

単語：＿＿＿＿＿＿＿＿＿＿

ピンイン：＿＿＿＿＿＿＿＿

⑤

単語：＿＿＿＿＿＿＿＿＿＿

ピンイン：＿＿＿＿＿＿＿＿

⑥

単語：＿＿＿＿＿＿＿＿＿＿

ピンイン：＿＿＿＿＿＿＿＿

❷ 語句を並べ替えて文を作り、日本語に訳しなさい。

① 叫　吧　她　刘丽丽　？　＿＿＿＿＿＿＿＿＿＿＿＿＿＿＿＿

　　　　　　　　　　訳：＿＿＿＿＿＿＿＿＿＿＿＿＿＿＿＿＿＿

② 吧　岁　今年　二十一　你　？　＿＿＿＿＿＿＿＿＿＿＿＿＿＿

　　　　　　　　　　訳：＿＿＿＿＿＿＿＿＿＿＿＿＿＿＿＿＿＿

③ 是　不　二十五号　明天　吧　七月　？　＿＿＿＿＿＿＿＿＿＿

　　　　　　　　　　訳：＿＿＿＿＿＿＿＿＿＿＿＿＿＿＿＿＿＿

④ 图书馆　在　佐藤　书　看　＿＿＿＿＿＿＿＿＿＿＿＿＿＿＿＿

　　　　　　　　　　訳：＿＿＿＿＿＿＿＿＿＿＿＿＿＿＿＿＿＿

⑤ 见面　学校　在　我们　十二点　中午　明天　＿＿＿＿＿＿＿＿

　　　　　　　　　　訳：＿＿＿＿＿＿＿＿＿＿＿＿＿＿＿＿＿＿

練習問題

❸ それぞれの文の答えになる文を選び、完成した対話を訳しなさい。

① 现在几点？
② 你们在哪儿见面？
③ 你们明天几点见面？
④ 你不是日本人吧？
⑤ 我们一起吃饭吧？

Ⓐ 早上七点见面。
Ⓑ 我不是日本人，我是中国人。
Ⓒ 好啊！
Ⓓ 现在两点一刻。
Ⓔ 我们在食堂见面。

① ☐　訳：_____

_____

② ☐　訳：_____

_____

③ ☐　訳：_____

_____

④ ☐　訳：_____

_____

⑤ ☐　訳：_____

_____

❹ イラストを見て中国語で文章を作りなさい。

_____

_____

_____

_____

_____

_____

❶ 音声を聞いて単語を選び、ピンインを書きなさい。　🔊87

Ⓐ 上午	Ⓑ 晩上	Ⓒ 中午	Ⓓ 両点
Ⓔ 四点一刻	Ⓕ 早上六点半	Ⓖ 九点二十五分	Ⓗ 二十一点五十五分

① ☐　ピンイン：＿＿＿＿＿＿＿＿＿　② ☐　ピンイン：＿＿＿＿＿＿＿＿＿

③ ☐　ピンイン：＿＿＿＿＿＿＿＿＿　④ ☐　ピンイン：＿＿＿＿＿＿＿＿＿

⑤ ☐　ピンイン：＿＿＿＿＿＿＿＿＿　⑥ ☐　ピンイン：＿＿＿＿＿＿＿＿＿

⑦ ☐　ピンイン：＿＿＿＿＿＿＿＿＿　⑧ ☐　ピンイン：＿＿＿＿＿＿＿＿＿

❷ 音声を聞いて、読み上げられた言葉がイラストの内容と 一致する場合には「√」を、一致しない場合には「×」を書きなさい。　🔊88

① ☐

② ☐

③ ☐

④ ☐

⑤ ☐

⑥ ☐

🔊 聞き取り問題

❸ 音声を聞いて、問いに対する答えとして正しいもの選びなさい。　🔊 89

① 现在是早上八点吗？　☐
　　　Ⓐ 是　　　　　　　Ⓑ 不是

② 他们明天几点见面？　☐
　　　Ⓐ 晚上十二点　　　　Ⓑ 中午十二点　　　　Ⓒ 中午十二点半

③ 他们明天在哪儿见面？　☐
　　　Ⓐ 食堂　　　　　　Ⓑ 学校　　　　　　Ⓒ 图书馆

④ 她是中国人吗？　☐
　　　Ⓐ 是　　　　　　　Ⓑ 不是

⑤ 今天是几月几号？　现在几点？　☐
　　　Ⓐ 今天是七月一号，现在是上午十点十五分。
　　　Ⓑ 今天是七月十一号，现在是上午十点一刻。

读一读　🔊 90

「凉 州 词」（涼州詞）
liáng zhōu cí

王 翰（王翰）
Wáng Hàn

葡 萄 美 酒 夜 光 杯，
pú táo měi jiǔ yè guāng bēi,

欲 饮 琵 琶 马 上 催。
yù yǐn pí pá mǎ shàng cuī.

醉 卧 沙 场 君 莫 笑，
zuì wò shā chǎng jūn mò xiào,

古 来 征 战 几 人 回。
gǔ lái zhēng zhàn jǐ rén huí.

葡萄の美酒　夜光の杯、
　飲まんと欲して琵琶　馬上に催す。
酔いて沙場に臥すも君笑うこと莫かれ、
　古来　征戦　幾人か回る。

本课で学習すること

❶ 連動文　　　　❷「的」の用法　　　　❸「了」の使い方①（文末の「了」）

本　文　🔊93

A：昨天 你 干 什么 了？

B：我 去 书店 买 书 了。

A：买 什么 书 了？

B：学 汉语 的 课本。
　　……

A：啊，已经 9点 了！

B：我们 去 上课 吧。

語句　🔊92

干 gàn 動 する

了 le 助 新たな状況の発生・変化および完了を示す

买 mǎi 動 買う

学 xué 動 勉強する

汉语 Hànyǔ 名 中国語

的 de 助 ～の

课本 kèběn 名 教科書

啊 a 感 あぁ

已经 yǐjīng 副 すでに、もう

上课 shàngkè 授業をする、授業を受ける

本文のピンイン

A : Zuótiān nǐ gàn shénme le ?

B : Wǒ qù shūdiàn mǎi shū le.

A : Mǎi shénme shū le ?

B : Xué Hànyǔ de kèběn.
　　……

A : A, yǐjīng jiǔdiǎn le !

B : Wǒmen qù shàngkè ba.

昨天你干什么了？

文法事項

1　連動文

一文の中に動詞句が二つ以上あらわれ、「S＋V₁＋O₁＋
V₂＋O₂」のようになる。注意点は、「同一の主語に対し
てのみ」であることと、「時系列順（動作が行われる順）
に並ぶ」ことの二点となる。なお、前に位置する動詞（V₁）
が「去／来」の場合、「～しに行く／～しに来る」と訳
すと自然になることが多い。

語句　🔊94

商店 shāngdiàn 名 商店、お店

来 lái 動 来る

这里 zhèlǐ 代 ここ

◀))95

我 去 图书馆 看 书。
Wǒ qù túshūguǎn kànshū.

你 去 食堂 吃 午饭 吗？
Nǐ qù shítáng chī wǔfàn ma？

你 去 商店 买 什么？
Nǐ qù shāngdiàn mǎi shénme？

他 去 中国 学 汉语。
Tā qù zhōngguó xué Hànyǔ.

我们 去 吃 拉面 吧。
Wǒmen qù chī lāmiàn ba.

你 来 这里 干 什么？
Nǐ lái zhèlǐ gàn shénme？

2 「的」の用法

「的」は「の」を意味し、体言を修飾する。但し、修飾句が動詞句（「去北京的飞机」は「北京へ行く飛行機」）や形容詞句（「好吃的水果」は「おいしい果物」）の場合は「の」は訳出しない。また、家族や知人、所属（学校や会社）など、言葉の結び付きが強い場合は「的」を省略してもよい。

◀))97

我 的 书
wǒ de shū

爸爸 的 工作
bàba de gōngzuò

好吃 的 水果
hǎochī de shuǐguǒ

去 北京 的 飞机
qù Běijīng de fēijī

你 （的） 姐姐
nǐ (de) jiějie

我们 （的） 公司
wǒmen (de) gōngsī

中国 （的） 茶
Zhōngguó (de) chá

語句 ◀))96		
工作 gōngzuò 名 仕事		
好吃 hǎochī 形 （食べ物が）おいしい		
水果 shuǐguǒ 名 果物		
北京 Běijīng 名 北京（中国の首都）		
飞机 fēijī 名 飛行機		
公司 gōngsī 名 会社		
中国 Zhōngguó 名 中国		

3 「了」の使い方 ①文末の「了」

文末の「了」は「新たな状況の発生や変化」を意味し、基本的に「〜した・〜なった」と訳せばよい。但し、目的語に修飾語がなく「S＋V＋O＋了」とあらわす場合は、完了の「了（〜した）」（第12課2を参照）の意味も兼ねる。

◀))99

我 吃 拉面 了。
Wǒ chī lāmiàn le.

她 去 上课 了。
Tā qù shàngkè le.

他 来 了。
Tā lái le.

否定文：我 没（有） 吃 拉面。
Wǒ méi (yǒu) chī lāmiàn.

否定文：她 没（有） 去 上课。
Tā méi (yǒu) qù shàngkè.

否定文：他 没（有） 来。
Tā méi (yǒu) lái.

已经 十二月 了。
Yǐjīng shí'èr yuè le.

他 不 来 了。
Tā bù lái le.

你 喝 什么 了？
Nǐ hē shénme le？

病 好 了。
Bìng hǎo le.

他 买 书 了 吗？
Tā mǎi shū le ma？

語句 ◀))98	
没（有） méi (yǒu) ない、完了の否定	
病 bìng 名 病気	
好 hǎo 形 よい	

❶ イラストを見て、単語とピンインを書きなさい。

①

単語：＿＿＿＿＿＿＿

ピンイン：＿＿＿＿＿

②

単語：＿＿＿＿＿＿＿

ピンイン：＿＿＿＿＿

③

単語：＿＿＿＿＿＿＿

ピンイン：＿＿＿＿＿

④

単語：＿＿＿＿＿＿＿

ピンイン：＿＿＿＿＿

⑤

単語：＿＿＿＿＿＿＿

ピンイン：＿＿＿＿＿

⑥

単語：＿＿＿＿＿＿＿

ピンイン：＿＿＿＿＿

❷ 語句を並べ替えて文を作り、日本語に訳しなさい。

① 书店　他　书　去　买

＿＿＿＿＿＿＿＿＿＿＿＿＿＿＿

訳：＿＿＿＿＿＿＿＿＿＿＿＿＿

② 中国　去　爸爸　工作

＿＿＿＿＿＿＿＿＿＿＿＿＿＿＿

訳：＿＿＿＿＿＿＿＿＿＿＿＿＿

③ 咖喱饭　吃　我　了

＿＿＿＿＿＿＿＿＿＿＿＿＿＿＿

訳：＿＿＿＿＿＿＿＿＿＿＿＿＿

④ 的　她姐姐　病　了　好

＿＿＿＿＿＿＿＿＿＿＿＿＿＿＿

訳：＿＿＿＿＿＿＿＿＿＿＿＿＿

⑤ 佐藤　去　不　了　上课

＿＿＿＿＿＿＿＿＿＿＿＿＿＿＿

訳：＿＿＿＿＿＿＿＿＿＿＿＿＿

✎ 練習問題

❸ それぞれの文の答えになる文を選び、完成した対話を訳しなさい。

語句
哥哥 gēge 名 兄

① 你去商店干什么？

② 你吃午饭了吗？

③ 哥哥喝什么了？

④ 你去中国学什么？

⑤ 刘丽丽来学校了吗？

Ⓐ 我去中国学汉语。

Ⓑ 我去买水果。

Ⓒ 没来。她今天不来了。

Ⓓ 没吃。

Ⓔ 他喝咖啡了。

① ☐　訳：_____

_____

② ☐　訳：_____

_____

③ ☐　訳：_____

_____

④ ☐　訳：_____

_____

⑤ ☐　訳：_____

_____

❹ イラストを見て中国語で文章を作りなさい。

_____

_____

_____

❶ 音声を聞いて単語を選び、ピンインを書きなさい。　🔊100

| Ⓐ姐姐 | Ⓑ工作 | Ⓒ公司 | Ⓓ水果 |
| Ⓔ商店 | Ⓕ爸爸 | Ⓖ好吃 | Ⓗ课本 |

① ☐　ピンイン：＿＿＿＿＿＿＿＿　② ☐　ピンイン：＿＿＿＿＿＿＿＿

③ ☐　ピンイン：＿＿＿＿＿＿＿＿　④ ☐　ピンイン：＿＿＿＿＿＿＿＿

⑤ ☐　ピンイン：＿＿＿＿＿＿＿＿　⑥ ☐　ピンイン：＿＿＿＿＿＿＿＿

⑦ ☐　ピンイン：＿＿＿＿＿＿＿＿　⑧ ☐　ピンイン：＿＿＿＿＿＿＿＿

❷ 音声を聞いて空白を埋め、日本語に訳し、さらに会話しなさい。　🔊101

A：你去（　　　　　　　　）？

訳：＿＿＿＿＿＿＿＿＿＿＿＿＿＿＿＿＿＿＿＿＿＿＿＿＿

B：我去（　　　　　　　）看（　　　　　　　　）。

訳：＿＿＿＿＿＿＿＿＿＿＿＿＿＿＿＿＿＿＿＿＿＿＿＿＿

A：你吃（　　　　　　　）了吗？

訳：＿＿＿＿＿＿＿＿＿＿＿＿＿＿＿＿＿＿＿＿＿＿＿＿＿

B：（　　　　　　　　　　）。

訳：＿＿＿＿＿＿＿＿＿＿＿＿＿＿＿＿＿＿＿＿＿＿＿＿＿

A：我们去（　　　　　　　）吧。

訳：＿＿＿＿＿＿＿＿＿＿＿＿＿＿＿＿＿＿＿＿＿＿＿＿＿

🔊 聞き取り問題

❸ 音声を聞いて、問いに対する答えを書きなさい。　🔊 102

① 爸爸去哪儿工作了？

_____

② 姐姐去商店干什么？

_____

③ 哥哥吃水果了吗？

_____

④ 他喝什么了？

_____

⑤ 佐藤昨天干什么了？

_____

读一读　🔊 103

「咏 柳」（柳を詠ず）
yǒng liǔ

賀 知 章（賀 知 章）
Hè Zhīzhāng

碧 玉 妆 成 一 树 高，
bì yù zhuāng chéng yí shù gāo,

万 条 垂 下 绿 丝 绦。
wàn tiáo chuí xià lǜ sī tāo.

不 知 细 叶 谁 裁 出，
bù zhī xì yè shuí cái chū,

二 月 春 风 似 剪 刀。
èr yuè chūn fēng sì jiǎn dāo.

碧玉 粧い成りて 一樹高く、
万条 垂下す 緑糸の縧。
知らず 細葉の誰か裁ち出づる、
二月の春風は剪刀に似たり。

本课で学習すること

1. 形容詞述語文
2. 主語がフレーズのとき
3. 時間量の言い方
4. 前置詞「从」、「到」

本 文　🔊106

A：从 你 家 到 学校 远不远？

B：不远，坐 公交车 15分钟。
　　你 家 远 吗？

A：我 家 很 远，坐 地铁 半 个 小时。

B：坐 地铁 贵不贵？

A：不太 贵。

B：坐 公交车 也 很 便宜。

本文のピンイン

A：Cóng nǐ jiā dào xuéxiào yuǎn bu yuǎn ?

B：Bù yuǎn, zuò gōngjiāochē shíwǔ fēnzhōng.
　　Nǐ jiā yuǎn ma ?

A：Wǒ jiā hěn yuǎn, zuò dìtiě bàn ge xiǎoshí.

B：Zuò dìtiě guì bu guì ?

A：Bútài guì.

B：Zuò gōngjiāochē yě hěn piányi.

語句　🔊105

从 cóng 前 ～から

家 jiā 名 家

到 dào 前 ～まで

远 yuǎn 形 遠い

坐 zuò 動 座る、乗る

公交车 gōngjiāochē 名 バス

分钟 fēnzhōng 名 分間

很 hěn 副 とても

地铁 dìtiě 名 地下鉄

半个小时 bàn ge xiǎoshí 名
　　30分間

贵 guì 形 （値段が）高い

不太 bútài あまり～ない

便宜 piányi 形 （値段が）安い

从你家到学校远不远？

52

文法事項

1 形容詞述語文

中国語の形容詞述語文は、肯定文は基本的に「主語＋副詞＋形容詞」で成立する。「很」は「とても」の意味であるが、一般的な形容詞述語文の場合は、必ずしも訳出しなくてもよい。否定文は「主語＋不＋形容詞」となり、疑問文は「主語＋形容詞＋吗」となる。また、比較のニュアンスがあらわれる場合は、肯定文でも副詞を必ずしも用いる必要はない。

🔊 108

日本的水果很贵。
Rìběn de shuǐguǒ hěn guì.

她妹妹非常可爱。
Tā mèimei fēicháng kě'ài.

拉面好吃吗？
Lāmiàn hǎochī ma？

地铁快不快？
Dìtiě kuài bu kuài？

爸爸的工作不太忙。
Bàba de gōngzuò bútài máng.

邮局远，银行不远。
Yóujú yuǎn, yínháng bùyuǎn.

語句 🔊 107
非常 fēicháng 副 とても、非常に
可爱 kě'ài 形 かわいい
快 kuài 形 速い
忙 máng 形 忙しい
邮局 yóujú 名 郵便局
银行 yínháng 名 銀行

2 主語がフレーズのとき

動詞述語文や形容詞述語文の主語にあたる部分が動詞句や主述句などのフレーズになる。

🔊 110

坐公交车很便宜。
Zuò gōngjiāochē hěn piányi.

我吃饭很慢。
Wǒ chīfàn hěn màn.

語句 🔊 109
慢 màn 形 遅い

3 時間量の言い方

「年・个月・个星期・天・个小时・分（钟）・秒（钟）」はそれぞれ「〜年間・〜ヶ月・〜週間・〜日間・〜時間・〜分間・〜秒間」を意味する。

❖ 第9課2「時刻の言い方」と表現に違いがあることに注意する。

🔊 112

一年	半年	两个月
yì nián	bàn nián	liǎng ge yuè
三个星期	四天	五个小时
sān ge xīngqī	sì tiān	wǔ ge xiǎoshí
一个半小时	半个小时	一刻（钟）
yí ge bàn xiǎoshí	bàn ge xiǎoshí	yí kè (zhōng)
八分（钟）	十秒（钟）	
bā fēn (zhōng)	shí miǎo (zhōng)	

時間量を尋ねる疑問詞：多长时间 duō cháng shíjiān

語句 🔊 111	
〜年 nián 量 年間	〜刻（钟）〜 kè (zhōng) 量 15 分間
〜个月 ge yuè ヶ月	〜分（钟）〜 fēn (zhōng) 量 分間
〜个星期 ge xīngqī 週間	〜秒（钟）〜 miǎo (zhōng) 量 秒間
〜天 tiān 量 日間	多长时间 duō cháng shíjiān どれくらいの時間
〜个小时 ge xiǎoshí 量 時間	

文法事項

4 前置詞「从」、「到」

「从」は「〜から(起点)」を意味し、「到」は「〜まで(終点)」を意味する。「从」、「到」の後は「時間、空間」にあたる言葉が置かれる。

🔊114

我从东京出发。
Wǒ cóng Dōngjīng chūfā.

我到中国去学汉语。
Wǒ dào Zhōngguó qù xué Hànyǔ.

从你家到地铁站远不远？
Cóng nǐ jiā dào dìtiězhàn yuǎn bu yuǎn?

从九点到十点我们学汉语。
Cóng jiǔdiǎn dào shídiǎn wǒmen xué Hànyǔ.

語句 🔊113

东京 Dōngjīng 名 東京
出发 chūfā 動 出発する
地铁站 dìtiězhàn 名
地下鉄駅

✏️ 練習問題

❶ イラストを見て、単語とピンインを書きなさい。

①

単語：_____

ピンイン：_____

②

単語：_____

ピンイン：_____

③

単語：_____

ピンイン：_____

④

単語：_____

ピンイン：_____

⑤

単語：_____

ピンイン：_____

⑥

単語：_____

ピンイン：_____

❷ （　　）に入る語を以下の選択肢より選び、完成した文を日本語に訳しなさい。（从，到）

① 我们学校（　　　　　　　　）四月一号开始上课。

訳：_____

② 考试（　　　　　　　　　）十二点结束。

訳：＿＿＿＿＿＿＿＿＿＿＿＿＿＿＿＿＿＿＿＿＿＿＿＿＿＿＿

③ （　　　　　　　　　）学校（　　　　　　　　　）邮局很远。

訳：＿＿＿＿＿＿＿＿＿＿＿＿＿＿＿＿＿＿＿＿＿＿＿＿＿＿＿

④ 你（　　　　　　　　　）哪儿出发？

訳：＿＿＿＿＿＿＿＿＿＿＿＿＿＿＿＿＿＿＿＿＿＿＿＿＿＿＿

語句　🔊115		
开始 kāishǐ	動	始まる
结束 jiéshù	動	終了する

⑤ 你（　　　　　　　　　）哪儿去？

訳：＿＿＿＿＿＿＿＿＿＿＿＿＿＿＿＿＿＿＿＿＿＿＿＿＿＿＿

❸ それぞれの文の答えになる文を選び、完成した対話を訳しなさい。

① 地铁站远不远？　② 从你家到学校，坐地铁多长时间？　③ 中国的水果贵吗？　④ 日本的水果好吃吗？　⑤ 你从几月几号开始上课？	Ⓐ 很远。　Ⓑ 非常好吃。　Ⓒ 不太贵。　Ⓓ 从9月15号开始。　Ⓔ 25分钟。

① ☐　訳：＿＿＿＿＿＿＿＿＿＿＿＿＿＿＿＿＿＿＿＿＿＿＿＿＿

＿＿＿＿＿＿＿＿＿＿＿＿＿＿＿＿＿＿＿＿＿＿＿＿＿＿＿＿＿＿

② ☐　訳：＿＿＿＿＿＿＿＿＿＿＿＿＿＿＿＿＿＿＿＿＿＿＿＿＿

＿＿＿＿＿＿＿＿＿＿＿＿＿＿＿＿＿＿＿＿＿＿＿＿＿＿＿＿＿＿

③ ☐　訳：＿＿＿＿＿＿＿＿＿＿＿＿＿＿＿＿＿＿＿＿＿＿＿＿＿

＿＿＿＿＿＿＿＿＿＿＿＿＿＿＿＿＿＿＿＿＿＿＿＿＿＿＿＿＿＿

④ ☐　訳：＿＿＿＿＿＿＿＿＿＿＿＿＿＿＿＿＿＿＿＿＿＿＿＿＿

＿＿＿＿＿＿＿＿＿＿＿＿＿＿＿＿＿＿＿＿＿＿＿＿＿＿＿＿＿＿

⑤ ☐　訳：＿＿＿＿＿＿＿＿＿＿＿＿＿＿＿＿＿＿＿＿＿＿＿＿＿

❹ 下記の日本語を中国語に訳しなさい。

私の家から図書館まではとても遠いです。バスに乗って35分です。バスは速くて安いです。

＿＿＿＿＿＿＿＿＿＿＿＿＿＿＿＿＿＿＿＿＿＿＿＿＿＿＿＿＿＿＿＿

＿＿＿＿＿＿＿＿＿＿＿＿＿＿＿＿＿＿＿＿＿＿＿＿＿＿＿＿＿＿＿＿

❶ 音声を聞いて単語を選び、ピンインを書きなさい。　🔊116

Ⓐ可爱	Ⓑ忙	Ⓒ快	Ⓓ便宜
Ⓔ贵	Ⓕ家	Ⓖ邮局	Ⓗ银行

① ☐　ピンイン：＿＿＿＿＿＿＿＿　　② ☐　ピンイン：＿＿＿＿＿＿＿＿

③ ☐　ピンイン：＿＿＿＿＿＿＿＿　　④ ☐　ピンイン：＿＿＿＿＿＿＿＿

⑤ ☐　ピンイン：＿＿＿＿＿＿＿＿　　⑥ ☐　ピンイン：＿＿＿＿＿＿＿＿

⑦ ☐　ピンイン：＿＿＿＿＿＿＿＿　　⑧ ☐　ピンイン：＿＿＿＿＿＿＿＿

❷ 音声を聞いて空白を埋め、日本語に訳し、さらに会話しなさい。　🔊117

A：从（　　　　　　　　）到（　　　　　　　　）远吗？

　訳：＿＿＿＿＿＿＿＿＿＿＿＿＿＿＿＿＿＿＿＿＿＿＿＿＿＿

B：（　　　　　　　　　　）。

　訳：＿＿＿＿＿＿＿＿＿＿＿＿＿＿＿＿＿＿＿＿＿＿＿＿＿＿

A：坐公交车（　　　　　　　　）？

　訳：＿＿＿＿＿＿＿＿＿＿＿＿＿＿＿＿＿＿＿＿＿＿＿＿＿＿

B：（　　　　　　　　　　）。

　訳：＿＿＿＿＿＿＿＿＿＿＿＿＿＿＿＿＿＿＿＿＿＿＿＿＿＿

A：坐地铁（　　　　　　　　）？

　訳：＿＿＿＿＿＿＿＿＿＿＿＿＿＿＿＿＿＿＿＿＿＿＿＿＿＿

B：（　　　　　　　　　　）。

　訳：＿＿＿＿＿＿＿＿＿＿＿＿＿＿＿＿＿＿＿＿＿＿＿＿＿＿

🔊 聞き取り問題

❸ 音声を聞いて、問いに対する答えを書きなさい。 🔊 118

① 从学校到商店远吗？

_____

② 从学校到商店坐地铁多长时间？

_____

③ 坐地铁贵吗？

_____

④ 坐地铁方便不方便？

_____

⑤ 地铁站远不远？

_____

读一读 🔊 119

「望 庐 山 瀑 布（廬山の瀑布を望む）」
wàng lú shān pù bù

李 白（李白）
Lǐ Bái

日 照 香 炉 生 紫 烟，
rì zhào xiāng lú shēng zǐ yān,

遥 看 瀑 布 挂 前 川。
yáo kàn pù bù guà qián chuān.

飞 流 直 下 三 千 尺，
fēi liú zhí xià sān qiān chǐ,

疑 是 银 河 落 九 天。
yí shì yín hé luò jiǔ tiān.

日は香炉を照らし紫煙生じ、

遥かに看る瀑布の前川に掛かるを。

飛流直下 三千尺、

疑うらくは是れ銀河の九天より落つるかと。

第十二课 你吃早饭了吗？（あなたは朝ご飯を食べましたか？）  🔊120
Nǐ chī zǎofàn le ma ?

本课で学習すること

1 量詞の使い方　2「了」の使い方②（アスペクト助詞の「了」）

3 助動詞「想」

本文　🔊122

A：你 吃 早饭 了 吗？

B：吃了。我 吃了 一碗 米饭，一条
　　烤鱼，还 喝了 一碗 酱汤。

A：我 没吃，我 只 喝了 一杯 牛奶。

B：你 饿 了 吗？

A：有点儿 饿 了。我 想 吃 一个
　　面包，你 吃 吗？

B：我 不吃，谢谢。

本文のピンイン

A：Nǐ chī zǎofàn le ma ?

B：Chī le. Wǒ chīle yì wǎn mǐfàn, yì tiáo kǎoyú,
　　hái hēle yì wǎn jiàngtāng.

A：Wǒ méi chī, wǒ zhǐ hēle yì bēi niúnǎi.

B：Nǐ èle ma ?

A：Yǒu diǎnr èle. Wǒ xiǎng chī yí ge miànbāo, nǐ chī ma ?

B：Wǒ bù chī. Xièxie.

語句　🔊121

早饭 zǎofàn 名 朝食

碗 wǎn 量 お椀を数える

米饭 mǐfàn 名 ライス

条 tiáo 量 細長いものを数える

烤鱼 kǎoyú 名 焼き魚

还 hái 副 さらに、まだ

酱汤 jiàngtāng 名 味噌汁

只 zhǐ 副 ただ〜だけ

杯 bēi 量 コップを数える

牛奶 niúnǎi 名 牛乳

饿 è 動 形 お腹が空く

有点儿 yǒu diǎnr 副 少し

想 xiǎng 助動 〜したい

个 ge 量 一般にものを数える

面包 miànbāo 名 パン

谢谢 xiè xie ありがとう

你吃早饭了吗？

文法事項

1 量詞の使い方

日本語と同じように、名詞はそれぞれに対応する量詞を持つので、グループ毎の暗記が必要。「(指示詞 +) 数詞 + 量詞 + 名詞」の順に置かれる。「この／あの」はそれぞれ「这 + 量詞 + 名詞／那 + 量詞 + 名詞」となる。

🔊 124

一个人
yí ge rén

两杯牛奶
liǎng bēi niúnǎi

三碗拉面
sān wǎn lāmiàn

四盘咖喱饭
sì pán gālífàn

五条烤鱼
wǔ tiáo kǎoyú

六只狗
liù zhī gǒu

七台电视
qī tái diànshì

八本书
bā běn shū

九辆公交车
jiǔ liàng gōngjiāochē

十件衣服
shí jiàn yīfu

这本书是我的。
Zhè běn shū shì wǒ de.

那个人是我爸爸。
Nà ge rén shì wǒ bàba.

你吃几个面包？
Nǐ chī jǐ ge miànbāo ?

你们学校有多少（个）学生？
Nǐmen xuéxiào yǒu duōshao (ge) xuésheng ?

（「多少」の後ろの量詞は省略されることがある）

語句	🔊 123

人 rén [名] 人
盘 pán [量] 皿に盛ったものを数える
只 zhī [量] 動物・鳥類を数える
狗 gǒu [名] 犬
台 tái [量] 機械・設備を数える
电视 diànshì [名] テレビ
本 běn [量] 本を数える
辆 liàng [量] 車の台数を数える
件 jiàn [量] ものを数える
衣服 yīfu [名] 洋服
这 zhè [代] これ、この
那 nà [代] あれ、あの
有 yǒu [動] いる、ある
多少 duōshao [疑] どれくらい

2 「了」の使い方②アスペクト助詞の「了」

動詞の後ろに置かれる「了」は基本的に動作の「完了」を意味し、「～した」のように訳されることが多い。日本語の「過去」と間違いやすいが、完了の「了」は過去・現在・未来のすべてで用いることができる。基本的には「S＋V＋了＋修飾語＋O」のように置かれるが、目的語に修飾語がない場合は、「S＋V＋了＋O＋了」か「S＋V＋O＋了」のようになり、文末の「了」（第10課 3 を参照）で完了をあらわす。また、否定文は「S＋没（没有）＋V＋O」となる。

🔊 126

我喝了两杯茶。
Wǒ hēle liǎng bēi chá.

妈妈做了好吃的咖喱饭。
Māma zuòle hǎochī de gālífàn.

他买了学汉语的课本。
Tā mǎile xué Hànyǔ de kèběn.

你吃了几碗拉面?
Nǐ chīle jǐ wǎn lāmiàn ?

語句	🔊 125

做 zuò [動] する、作る

❖ 我喝了茶。（×）⇨　我喝了一杯茶。（○）　我喝茶了。（○）
　 Wǒ hēle chá.　　　 Wǒ hēle yì bēi chá.　　 Wǒ hē chá le.

文法事項

3 助動詞「想」

「想」は「〜したい」を意味する。助動詞は基本的に「S + 助動詞 + V + O」のように動詞の前に置かれる。否定文は「不想」で、「〜したくない」を意味する。

🔊 128

我想买一瓶牛奶。
Wǒ xiǎng mǎi yìpíng niúnǎi.

明天你想干什么？
Míngtiān nǐ xiǎng gàn shénme？

你想不想吃拉面？
Nǐ xiǎng bu xiǎng chī lāmiàn？

我不想打工。
Wǒ bù xiǎng dǎgōng.

語句 🔊 127
瓶 píng 量 瓶を数える
打工 dǎgōng 動 アルバイトをする

✏️ 練習問題

❶ イラストを見て、単語とピンインを書きなさい。

①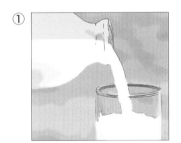

単語：_____

ピンイン：_____

②

単語：_____

ピンイン：_____

③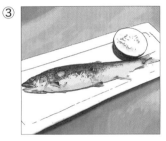

単語：_____

ピンイン：_____

④

単語：_____

ピンイン：_____

⑤

単語：_____

ピンイン：_____

⑥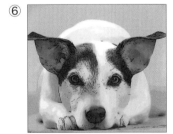

単語：_____

ピンイン：_____

❷ （　　）に適当な量詞を入れ、完成した文を日本語に訳しなさい。

① 我喝了两（　　　　　　　　）水。

語句 🔊 129
水 shuǐ 名 水

訳：_____

✎ 練習問題

②那（　　　　　　　　）车是我爸爸的。

語句　🔊130

车 chē 名 車

訳：_____

③这（　　　　　　　　）狗很可爱。

訳：_____

④你想买几（　　　　　　　　）衣服？

訳：_____

⑤我饿了，我想吃一（　　　　　　　　）拉面。

訳：_____

❸正しい文に○を、誤った文に×を書き、さらに誤った文を書き直しなさい。

① 我吃了一个米饭。　　　☐

_____

② 你想去不去图书馆？　　☐

_____

③ 妈妈喝了水。　　　　　☐

_____

④ 你想去中国学汉语吗？　☐

_____

⑤ 这面包好吃不好吃？　　☐

_____

❹下記の日本語を中国語に訳しなさい。

私は朝ごはんを食べました。私は一つのパンを食べ、一杯の牛乳を飲みました。午前、私は学校の図書館に行きたいです。

_____

_____

🔊 聞き取り問題

❶ 音声を聞いて単語を選び、ピンインを書きなさい。　🔊131

Ⓐ 个	Ⓑ 辆	Ⓒ 条	Ⓓ 本	Ⓔ 碗
Ⓕ 盘	Ⓖ 件	Ⓗ 杯	Ⓘ 台	Ⓙ 只

① ☐　ピンイン：＿＿＿＿＿＿＿＿＿　② ☐　ピンイン：＿＿＿＿＿＿＿＿＿

③ ☐　ピンイン：＿＿＿＿＿＿＿＿＿　④ ☐　ピンイン：＿＿＿＿＿＿＿＿＿

⑤ ☐　ピンイン：＿＿＿＿＿＿＿＿＿　⑥ ☐　ピンイン：＿＿＿＿＿＿＿＿＿

⑦ ☐　ピンイン：＿＿＿＿＿＿＿＿＿　⑧ ☐　ピンイン：＿＿＿＿＿＿＿＿＿

⑨ ☐　ピンイン：＿＿＿＿＿＿＿＿＿　⑩ ☐　ピンイン：＿＿＿＿＿＿＿＿＿

❷ 音声を聞いて空白を埋め、日本語に訳し、さらに会話しなさい。　🔊133

A：你（　　　　　　　　　　　）买什么？

　　訳：＿＿＿＿＿＿＿＿＿＿＿＿＿＿＿＿＿＿＿＿＿＿＿＿＿＿＿

B：我想买（　　　　　　　　　　　）。

　　訳：＿＿＿＿＿＿＿＿＿＿＿＿＿＿＿＿＿＿＿＿＿＿＿＿＿＿＿

A：（　　　　　　　　　　）面包很好吃，你买（　　　　　　　　　　）吧。

　　訳：＿＿＿＿＿＿＿＿＿＿＿＿＿＿＿＿＿＿＿＿＿＿＿＿＿＿＿

B：好的，（　　　　　　　　　　　）。

　　訳：＿＿＿＿＿＿＿＿＿＿＿＿＿＿＿＿＿＿＿＿＿＿＿＿＿＿＿

A：你买（　　　　　　　　　）面包？

　　訳：＿＿＿＿＿＿＿＿＿＿＿＿＿＿＿＿＿＿＿＿＿＿＿＿＿＿＿

B：（　　　　　　　　　　　）。

　　訳：＿＿＿＿＿＿＿＿＿＿＿＿

語句　🔊132
好的 hǎode わかりました

🔊 聞き取り問題

❸ 音声を聞いて、問いに対する答えを書きなさい。 🔊 134

① 她明天想干什么?

_____

② 她想买几件衣服?

_____

③ 商店远吗?

_____

④ 她想坐公交车去商店吗?

_____

读一读 🔊 135

「风（風）」
fēng

李 峤（李 嶠）
Lǐ　Qiáo

解 落 三 秋 叶,
jiě　luò　sān　qiū　yè,

能 开 二 月 花。
néng　kāi　èr　yuè　huā.

过 江 千 尺 浪,
guò jiāng qiān chǐ làng,

入 竹 万 竿 斜。
rù　zhú　wàn　gān　xié.

解け落つ 三秋の葉、
能く開く 二月の花。
江を過ぐれば千尺の浪あり、
竹に入れば万竿の斜なるあり。

本课で学習すること

1 経験を表す「过」　　2 助動詞「可以」

3 助動詞「能」　　4 動詞の重ね型

本文　🔊 138

A：你 去过 北海道 吗？

B：我 还 没 去过。

A：元旦 的 时候 学校 放假，
　　你 可以 去 北海道 转转。

B：好 主意！ 你 也 一起 去 吧。

A：对不起，元旦 我 有 事，不能 去。

B：那 太 遗憾 了。

本文のピンイン

A：Nǐ qùguo Běihǎidào ma？

B：Wǒ hái méi qùguo.

A：Yuándàn de shíhou xuéxiào fàngjià,
　　nǐ kěyǐ qù Běihǎidào zhuànzhuan.

B：Hǎo zhǔyi! Nǐ yě yìqǐ qù ba.

A：Duìbuqǐ, yuándàn wǒ yǒu shì, bù néng qù.

B：Nà tài yíhàn le.

語句　🔊 137

过 guo 助 ～したことがある

北海道 Běihǎidào 名 北海道

元旦 yuándàn 名 元旦

时候 shíhou 名 時

放假 fàngjià 名 休暇

可以 kěyǐ 助動 ～できる（可能・許可を表す）

转转 zhuànzhuan 見て回る

好主意 hǎo zhǔyi いい考え

对不起 duìbuqǐ すみません

事 shì 名 用事、事情

能 néng 助動 ～できる

那 nà 代 それ

太～了 tài～le ～過ぎる

遗憾 yíhàn 形 残念だ

你去过北海道吗？

GUIDE

文法事項

1 経験を表す「过」

「过」は「過去の経験（…したことがある）」を意味する。「S + V + 过 + O」のように動詞の後に置かれ、否定文は「没 + V + 过」となる。

🔊 140

我去过东京。　　她来过我家。　　我坐过飞机。
Wǒ qùguo Dōngjīng.　Tā láiguo wǒ jiā.　Wǒ zuòguo fēijī.

我没去过中国。　　　　你学过汉语吗？
Wǒ méi qùguo Zhōngguó.　　Nǐ xuéguo Hànyǔ ma?

你吃（过）没吃过中国菜？
Nǐ chī (guo) méi chīguo Zhōngguócài?

語句　　🔊 139		
中国菜 Zhōngguócài	名	中華料理

2 助動詞「可以」

「可以」は「可能（〜できる）」や「許可（〜してもよい）」などを意味する。助動詞なので「S + 可以 + V + O」のように置かれる。否定文は「不可以」として、「禁止（〜してはならない）」の意味になる。

語句　　🔊 141
时间 shíjiān 名 時間
吸烟 xīyān たばこを吸う
公共场所 gōnggòng chǎngsuǒ 名 公共の場所

🔊 142

明天我有时间，我们可以一起吃饭。
Míngtiān wǒ yǒu shíjiān, wǒmen kěyǐ yìqǐ chīfàn.

从你家到我家不远，你可以坐公交车。
Cóng nǐ jiā dào wǒ jiā bù yuǎn, nǐ kěyǐ zuò gōngjiāochē.

我们明天可以见面吗？
Wǒmen míngtiān kěyǐ jiànmiàn ma?

我们在图书馆见面，可以吗？
Wǒmen zài túshūguǎn jiànmiàn, kěyǐ ma?

可(以)不可以在这里吸烟？
Kě (yǐ) bu kěyǐ zài zhèlǐ xīyān?

公共场所不可以吸烟。（否定の時は禁止を表す＝公共场所不能吸烟。）
Gōnggòng chǎngsuǒ bù kěyǐ xīyān.

3 助動詞「能」

「能」は「（能力や条件に基づいて）〜できる」や「許可（〜してもよい）」を意味する（例えば、「我能吃三个面包」は能力的に「食べられる」、「我今天喝酒了，不能开车」は条件的に「運転できない」となる）。「可以」と同じ助動詞なので、「S + 能 + V + O」のように置かれる。否定文は「不能（〜できない、〜してはならない）」となる。

🔊 144

你能吃几个面包？
Nǐ néng chī jǐ ge miànbāo?

我能吃三个面包。
Wǒ néng chī sān ge miànbāo.

明天早上八点，你能来我家吗？
Míngtiān zǎoshang bādiǎn, nǐ néng lái wǒ jiā ma?

你能不能和我一起去图书馆？
Nǐ néng bu néng hé wǒ yìqǐ qù túshūguǎn?

我今天喝酒了，不能开车。
Wǒ jīntiān hē jiǔ le, bùnéng kāichē.

語句　　🔊 143	
和 hé 前 〜と	开车 kāichē 車を運転する
酒 jiǔ 名 酒	

文法事項

4 動詞の重ね型

動詞を重ねた場合は、日本語のニュアンスとは異なり、意味が弱まり、「少し〜してみる」となる。なお、動詞が単音節のときは間に「一」を挟んでもよいが、複音節のときは挟むことはできない。

🔊 146

去商店转（一）转
qù shāngdiàn zhuàn (yi) zhuan

尝（一）尝中国菜
cháng (yi) chang Zhōngguócài

听（一）听音乐
tīng (yi) ting yīnyuè

试（一）试这件衣服
shì (yi) shi zhèjiàn yīfu

收拾收拾东西
shōushishoushi dōngxi

語句 🔊 145

尝 cháng 動 試す、味見する

听 tīng 動 聴く

音乐 yīnyuè 名 音楽

试 shì 動 試す

收拾 shōushi 動 かたづける

东西 dōngxi 名 もの

✎ 練習問題

❶ イラストを見て、語句とピンインを書きなさい。

①

単語：

ピンイン：

②

単語：

ピンイン：

③

単語：

ピンイン：

④

単語：

ピンイン：

⑤

中華料理

単語：

ピンイン：

⑥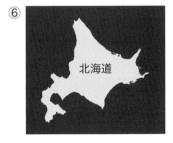

北海道

単語：

ピンイン：

❷ 語句を並べ替えて文を作り、日本語に訳しなさい。

①过　没　吃　我妹妹　中国菜 _____

訳：_____

②尝　这个　面包　你　尝　吧　_____

　　訳：_____

③能　杯　两　酒　我　喝　　_____

　　訳：_____

④过　喝　你　吗　酒　？　　_____

　　訳：_____

⑤可以　这里　在　吗　吸烟　？_____

　　訳：_____

❸ それぞれの文の答えになる文を選び、完成した対話を訳しなさい。

①明天你能来学校吗？	Ⓐ还没吃过。
②你吃过中国的咖喱饭吗？	Ⓑ我也去。
③可以在这里喝酒吗？	Ⓒ没问题！
④我想去商店转转，你去吗？	Ⓓ我能吃三个。
⑤我能吃两个面包，你呢？	Ⓔ不可以。

① ☐　訳：_____

② ☐　訳：_____

③ ☐　訳：_____

④ ☐　訳：_____

⑤ ☐　訳：_____

❹ 下記の日本語を中国語に訳しなさい。

私はこのパンを食べたことがあります。このパンはとても美味しいです。あなたも食べてみましょう。私は三つ食べられますが、あなたは何個食べられますか？

_____

_____

❶ 音声を聞いて単語を選び、ピンインを書きなさい。 🔊 147

Ⓐ 能	Ⓑ 可以	Ⓒ 好主意	Ⓓ 对不起
Ⓔ 听	Ⓕ 收拾	Ⓖ 尝	Ⓗ 房间

① ☐ ピンイン： _____ ② ☐ ピンイン： _____

③ ☐ ピンイン： _____ ④ ☐ ピンイン： _____

⑤ ☐ ピンイン： _____ ⑥ ☐ ピンイン： _____

⑦ ☐ ピンイン： _____ ⑧ ☐ ピンイン： _____

❷ 音声を聞いて空白を埋め、日本語に訳し、さらに会話しなさい。 🔊 148

A：你（　　　　　　　　　　　）北京吗？

訳： _____

B：我（　　　　　　　　　）。

訳： _____

A：你（　　　　　　　　）去北京吗？

訳： _____

B：我很（　　　　　　　　　）。

訳： _____

A：放假的时候，我们（　　　　　　　　　）一起去北京（　　　　　　　　）。

訳： _____

B：（　　　　　　　　　　　）！

訳： _____

🔊 聞き取り問題

❸ 音声を聞いて、問いに対する答えを書きなさい。 🔊149

① 她明天想干什么?

_____

② 他明天上午去哪儿?

_____

③ 明天他能和她一起去商店吗?

_____

④ 他们明天几点去商店?

_____

读一读 🔊150

「咏 鹅 （鵝を詠ず）」
yǒng é

骆 宾 王（駱 賓王）
Luò Bīnwáng

鹅，鹅，鹅，
é, é, é,
曲 项 向 天 歌。
qū xiàng xiàng tiān gē.
白 毛 浮 绿 水，
bái máo fú lǜ shuǐ,
红 掌 拨 清 波。
hóng zhǎng bō qīng bō.

鵝、鵝、鵝、
曲項 天に向かいて歌う。
白毛は緑水に浮かび、
紅掌は清波に撥ねたり。

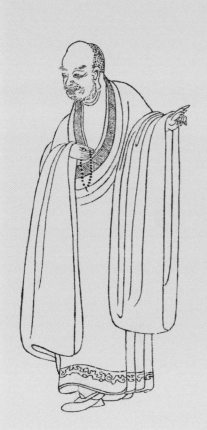

餐厅在电影院旁边（レストランは映画館のとなりにあります）
Cāntīng zài diànyǐngyuàn pángbiān ◀))151

本课で学習すること

❶方位詞　　　　❷動詞「有」
❸動詞「在」

本　文　◀))153

A：学校 附近 有 电影院 吗？

B：学校 附近 没有，
　　车站 南边 有 一个 电影院。

A：电影院 里 有 餐厅 吗？

B：餐厅 不 在 电影院 里，
　　在 电影院 旁边。

A：明白 了，谢谢！

B：不客气。

語句　◀))152

附近 fùjìn 名 付近、近所
有 yǒu 動 いる、ある
电影院 diànyǐngyuàn 名 映画館
车站 chēzhàn 名 駅
南边 nánbian 方 南側
里 lǐ 方 〜の中
餐厅 cāntīng 名 レストラン
在 zài 動 いる、ある
旁边 pángbiān 名 そば、隣
明白了 míngbai le わかりました
不客气 búkèqi どういたしまして

本文のピンイン

A：Xuéxiào fùjìn yǒu diànyǐngyuàn ma？

B：Xuéxiào fùjìn méiyǒu, chēzhàn nánbian yǒu yí ge diànyǐngyuàn.

A：Diànyǐngyuàn lǐ yǒu cāntīng ma？

B：Cāntīng bú zài diànyǐngyuàn lǐ, zài diànyǐngyuàn pángbiān.

A：Míngbai le, xièxie.

B：Búkèqi.

文法事項

1 方位詞

方位詞は単音節方位詞（上、下など）と複音節方位詞（上边、上面など）とがある。「旁」と「対」はそれぞれ、一般に「旁边」と「対面」のかたちで用いられる。また、「名詞＋方位詞」で一般に「場所」をあらわす。

🔊 155

上	下	左	右	前	后	里	外	东	南	西	北	旁	对
shàng	xià	zuǒ	yòu	qián	hòu	lǐ	wài	dōng	nán	xī	běi	páng	duì

上边	下边	…	…	…	…		西边		北边		旁边	
shàngbian	xiàbian	…	…	…	…		xībian		běibian		pángbiān	

上面	下面	…	…	…	…		西面		北面		对面	
shàngmian	xiàmian	…	…	…	…		xīmian		běimian		duìmiàn	

桌子上	家里	门外
zhuōzi shàng	jiā lǐ	mén wài

学校（的）西边	我家（的）对面	商店（的）旁边
xuéxiào (de) xībian	wǒjiā (de) duìmiàn	shāngdiàn (de) pángbiān

語句 🔊 154

上 shàng 方 上	**外** wài 方 外	**对** duì 向かい側	**桌子** zhuōzi 名 机
下 xià 方 下	**东** dōng 方 東	**〜边** biān / bian（方位詞の後につける）方、側。	**门** mén 名 門、ドア
左 zuǒ 方 左	**南** nán 方 南		
右 yòu 方 右	**西** xī 方 西		
前 qián 方 前	**北** běi 方 北	**〜面** miàn / mian 「边」に同じ	
后 hòu 方 後ろ	**旁** páng 方 そば、隣		

2 動詞「有」

「所有」は、「S＋有＋O」となり、基本的に「SがOを持っている」と訳す。また、「存在」は、「場所＋有＋人・モノ」となり、「場所に人・モノがある」と訳せばよい。否定文はどちらも「没有」となり、「不有」とはならないことに注意する。

① 所有をあらわす　🔊 157

我有一辆车。	她有事。	我家有四口人。
Wǒ yǒu yí liàng chē.	Tā yǒu shì.	Wǒ jiā yǒu sì kǒu rén.

我没（有）钱。	你有时间吗？	你有没有信用卡？
Wǒ méi (yǒu) qián.	Nǐ yǒu shíjiān ma?	Nǐ yǒu méi yǒu xìnyòngkǎ?

② 存在をあらわす

学校对面有一个邮局。	我家旁边没有商店。
Xuéxiào duìmiàn yǒu yí ge yóujú.	Wǒ jiā pángbiān méiyǒu shāngdiàn.

前面有银行吗？	哪儿有电影院？
Qiánmian yǒu yínháng ma?	Nǎr yǒu diànyǐngyuàn?

語句 🔊 156

口 kǒu 量 世帯人数を数える	**信用卡** xìnyòngkǎ 名 クレジットカード	**钱** qián 名 お金

3 動詞「在」

動詞の「在」は「いる、ある」を意味する。目的語の位置には「場所」を意味する言葉が置かれる。
前置詞の「在」（第9課3を参照）との区別に注意する。

🔊 158

我在你后面。　　　　　　　　銀行不在学校旁边。
Wǒ zài nǐ hòumian.　　　　　Yínháng bú zài xuéxiào pángbiān.

你妈妈在家吗？　　　　　　　课本在不在桌子上？　　　　你在哪儿？
Nǐ māma zài jiā ma？　　　　Kèběn zài bu zài zhuōzi shàng？　　Nǐ zài nǎr？

✏️ 練習問題

❶ イラストを見て、単語とピンインを書きなさい。

①

単語：_____

ピンイン：_____

②

単語：_____

ピンイン：_____

③

単語：_____

ピンイン：_____

④

単語：_____

ピンイン：_____

⑤

単語：_____

ピンイン：_____

⑥

単語：_____

ピンイン：_____

❷ 下記の文を線でつなぎ、さらに訳しなさい。

①爸爸		房间里
②门外	有	一个人
③银行东面		桌子上
④面包	在	一杯牛奶
⑤桌子上		一个邮局。

✐ 練習問題

① 訳：_____

② 訳：_____

③ 訳：_____

④ 訳：_____

⑤ 訳：_____

❸（　　）に適当な言葉を入れて会話文を完成しなさい。

A：（　　　　　　　　　　　）图书馆吗？

　学校の中には図書館がありますか。

B：（　　　　　　　　　　）。图书馆（　　　　　　　　　　　）学校（　　　　　　　　　　　）。

　ありません。図書館は学校の西側にあります。

A：（　　　　　　　　　　）食堂？

　学校の中には食堂がありますか。

B：（　　　　　　　　　　），（　　　　　　　　　　）那里。

　あります。あそこにあります。

A：（　　　　　　　　　　）。

　ありがとうございます。

語句　🔊159		
那里 nàlǐ	代	そこ、あそこ
这里 zhèlǐ	代	ここ
哪里 nǎlǐ	疑	どこ

❹ イラストを見て中国語で文章を作りなさい。

_____

_____

_____

_____

_____

◀)) 聞き取り問題

❶ 音声を聞いて単語を選び、ピンインを書きなさい。 ◀)) 160

Ⓐ左	Ⓑ后	Ⓒ上	Ⓓ南	Ⓔ东	Ⓕ前
Ⓖ右	Ⓗ下	Ⓘ西	Ⓙ北	Ⓚ旁边	Ⓛ对面

① ☐ ピンイン: _____　② ☐ ピンイン: _____

③ ☐ ピンイン: _____　④ ☐ ピンイン: _____

⑤ ☐ ピンイン: _____　⑥ ☐ ピンイン: _____

⑦ ☐ ピンイン: _____　⑧ ☐ ピンイン: _____

⑨ ☐ ピンイン: _____　⑩ ☐ ピンイン: _____

⑪ ☐ ピンイン: _____　⑫ ☐ ピンイン: _____

❷ 音声を聞いて空白を埋め、日本語に訳し、さらに会話しなさい。 ◀)) 161

A：车站（　　　　　　　　　　　　　　）?

訳：_____

B：车站（　　　　　　　　　　　）学校（　　　　　　　　　　　　　）。

訳：_____

A：车站（　　　　　　　　　　　）有商店吗?

訳：_____

B：（　　　　　　　　　　　）。商店在（　　　　　　　　　　　　　）。

訳：_____

A：（　　　　　　　　　　　）商店（　　　　　　　　　　　）车站远吗?

訳：_____

B：（　　　　　　　　　　　）。

訳：_____

🔊 聞き取り問題

❸ 音声を聞いて、問いに対する答えを書きなさい。　🔊 162

① 桌子上有什么？

_____

② 桌子上有没有牛奶？

_____

③ 酱汤在哪儿？

_____

④ 烤鱼在哪儿？

_____

读一读　🔊 163

「绝 句（絶句）」
jué　jù

杜 甫（杜甫）
Dù Fǔ

两 个 黄 鹂 鸣 翠 柳，
liǎng ge huáng lí míng cuì liǔ,

一 行 白 鹭 上 青 天。
yì háng bái lù shàng qīng tiān.

窗 含 西 岭 千 秋 雪，
chuāng hán xī lǐng qiān qiū xuě,

门 泊 东 吴 万 里 船。
mén bó dōng wú wàn lǐ chuán.

両個の黄鸝 翠柳に鳴き、
一行の白鷺 青天に上る。
窓に含む西嶺 千秋の雪、
門に泊す東呉 万里の船。

第十五课 这条围巾多少钱？（このスカーフはいくらですか？） 🔊164
Zhè tiáo wéijīn duōshao qián ?

本课で学習すること

❶100以上の数字 　❷お金の言い方
❸選択疑問文「还是」

本 文 🔊166

A：这 条 绿色 的 围巾 多少 钱？

B：120元。

A：那 条 红色 的 呢？

B：180元。

　　你 买 绿色 的 还是 红色 的？

A：我 买 两 条 绿色 的。

B：好的，两 条 一共 240元。

語句 🔊165
绿色 lǜsè 名 緑色
围巾 wéijīn 名 スカーフ
多少钱 duōshao qián　いくらですか
元 yuán 名 中国のお金の単位
红色 hóngsè 名 赤
还是 háishì 接 それとも
一共 yígòng 副 合計、全部で

本文のピンイン

A : Zhè tiáo lǜsè de wéijīn duōshao qián ?

B : Yìbǎi èrshí yuán.

A : Nà tiáo hóngsè de ne ?

B : Yìbǎi bāshí yuán.

　　Nǐ mǎi lǜsè de háishì hóngsè de ?

A : Wǒ mǎi liǎng tiáo lǜsè de.

B : Hǎode, liǎng tiáo yígòng èrbǎi sìshí yuán.

这条围巾多少钱？

文法事項

1 100以上の数字

100以上の数字の場合、「101」や「2002」のように、間に「0」を挟む場合に注意が必要で、読むときに必ず「零」を一つ置かなければならない。（第7課2「100までの数字の読み方」も参照）

🔊 168

101	102	110	120	200
一百零一	一百零二	一百一十	一百二十	二百（两百）
yìbǎi líng yī	yìbǎi líng èr	yìbǎi yī shí	yìbǎi èr (shí)	èrbǎi (liǎngbǎi)

1,000	2,002	3,010	5,200
一千	两千零二	三千零一十	五千二百
yìqiān	liǎngqiān líng'èr	sānqiān líng yī shí	wǔqiān èr (bǎi)

10,000	20,200	356,841	100,000,000
一万	两万零二百	三十五万六千八百四十一	一亿
yìwàn	liǎngwàn líng èrbai	sānshíwǔwàn liùqiān bābǎi sìshíyī	yíyì

語句 🔊 167

千 qiān 名 千　万 wàn 名 万　亿 yì 名 億

2 お金の言い方

中国のお金は「人民币」と言い、「人民元」と訳す。金額は書面語では「元・角（元の10分の1）・分（角の10分の1）」となり、口語では「块・毛（块の10分の1）・分（毛の10分の1）」となる。紙幣は「1・5・10・20・50・100」元札がある。

🔊 170

200人民币	1000日元	30,000美元
èrbǎi Rénmínbì	yìqiān Rìyuán	sānwàn Měiyuán

	1.05元	245.00元	2.20元	35.85元
【文面語】	一元零五分	二百四十五元	两元二角	三十五元八角五分
	yì yuán líng wǔ fēn	èrbǎi sìshíwǔ yuán	liǎng yuán èr jiǎo	sānshiwǔ yuán bā jiǎo wǔ fēn
【口　語】	一块零五（分）	二百四十五块	两块二（毛）	三十五块八毛五（分）
	yí kuài líng wǔ (fēn)	èrbǎi sìshíwǔ kuài	liǎng kuài èr (máo)	sānshíwǔ kuài bā máo wǔ (fēn)

※最後に「钱 qián」を入れてもOK
两元二角钱
liǎng yuán èr jiǎo qián
二百四十五块钱
èrbǎi sìshíwǔ kuài qián

語句 🔊 169

人民币 Rénmínbì 名 人民元　角 jiǎo 量 角
日元 Rìyuán 名 日本円　毛 máo 量 角
美元 Měiyuán 名 米ドル　分 fēn 量 分
块 kuài 量 元

3 選択疑問文「还是」

「还是」は「それとも」を意味する。「A＋还是＋B」のように置かれ、「Aですか、それともBですか」と訳せばよい。回答する際は、「A・B」のように答えればよい。

🔊 171

今天是星期六还是星期日？
Jīntiān shì xīngqīliù háishì xīngqīrì？

你去图书馆还是电影院？
Nǐ qù túshūguǎn háishì diànyǐngyuàn？

你坐地铁还是坐公交车？
Nǐ zuò dìtiě háishì zuò gōngjiāochē？

车站在南边还是北边？
Chēzhàn zài nánbian háishì běibian？

❶ イラストを見て、単語とピンインを書きなさい。

①

単語：＿＿＿＿＿＿＿

ピンイン：＿＿＿＿＿＿

②

単語：＿＿＿＿＿＿＿

ピンイン：＿＿＿＿＿＿

③

単語：＿＿＿＿＿＿＿

ピンイン：＿＿＿＿＿＿

④

単語：＿＿＿＿＿＿＿

ピンイン：＿＿＿＿＿＿

⑤

単語：＿＿＿＿＿＿＿

ピンイン：＿＿＿＿＿＿

⑥

単語：＿＿＿＿＿＿＿

ピンイン：＿＿＿＿＿＿

❷ 下記の金額を中国語で読み、さらに漢字とピンインを書きなさい（文面語）。

① 2.50元

＿＿＿＿＿＿＿＿

ピンイン：＿＿＿＿＿

＿＿＿＿＿＿＿＿

② 14.05元

＿＿＿＿＿＿＿＿

ピンイン：＿＿＿＿＿

＿＿＿＿＿＿＿＿

③ 53.52元

＿＿＿＿＿＿＿＿

ピンイン：＿＿＿＿＿

＿＿＿＿＿＿＿＿

④ 128.00元

＿＿＿＿＿＿＿＿

ピンイン：＿＿＿＿＿

＿＿＿＿＿＿＿＿

⑤ 1020.35元

＿＿＿＿＿＿＿＿

ピンイン：＿＿＿＿＿

＿＿＿＿＿＿＿＿

⑥ 10,000.00元

＿＿＿＿＿＿＿＿

ピンイン：＿＿＿＿＿

＿＿＿＿＿＿＿＿

✎ 練習問題

❸（　　）に適当な言葉を入れて会話文を完成しなさい。

Ａ：咖喱饭（　　　　　　　　　　）？

　　カレーライスはいくらですか。

Ｂ：一份58元。

　　一人前は58元です。

Ａ：（　　　　　　　　　　　　　）？

　　ラーメンは一杯いくらですか。

Ｂ：35元。

　　35元です。

Ａ：面包呢？

　　パンは？

語句 　◀))172
〜份 fèn 量 〜人前
〜袋 dài 量 袋を数える

Ｂ：（　　　　　　　　　　　　）。

　　一袋は25元です。

❹ 下記の日本語を中国語に訳しなさい。

コーヒーは一杯20元です。牛乳は一杯10元です。パンは一個12元です。私はコーヒー一杯、牛乳一杯、パン二個を買います。全部で54元です。

訳：＿＿＿＿＿＿＿＿＿＿＿＿＿＿＿＿＿＿＿＿＿＿＿＿＿＿＿＿＿＿＿＿＿＿＿＿＿

＿＿＿＿＿＿＿＿＿＿＿＿＿＿＿＿＿＿＿＿＿＿＿＿＿＿＿＿＿＿＿＿＿＿＿＿＿＿＿

＿＿＿＿＿＿＿＿＿＿＿＿＿＿＿＿＿＿＿＿＿＿＿＿＿＿＿＿＿＿＿＿＿＿＿＿＿＿＿

＿＿＿＿＿＿＿＿＿＿＿＿＿＿＿＿＿＿＿＿＿＿＿＿＿＿＿＿＿＿＿＿＿＿＿＿＿＿＿

❶ 音声を聞いて単語を選び、ピンインを書きなさい。　🔊173

Ⓐ 十	Ⓑ 百	Ⓒ 千	Ⓓ 万	Ⓔ 亿
Ⓕ 元	Ⓖ 角	Ⓗ 分	Ⓘ 块	Ⓙ 毛

① ☐ ピンイン：＿＿＿＿＿＿＿　② ☐ ピンイン：＿＿＿＿＿＿＿

③ ☐ ピンイン：＿＿＿＿＿＿＿　④ ☐ ピンイン：＿＿＿＿＿＿＿

⑤ ☐ ピンイン：＿＿＿＿＿＿＿　⑥ ☐ ピンイン：＿＿＿＿＿＿＿

⑦ ☐ ピンイン：＿＿＿＿＿＿＿　⑧ ☐ ピンイン：＿＿＿＿＿＿＿

⑨ ☐ ピンイン：＿＿＿＿＿＿＿　⑩ ☐ ピンイン：＿＿＿＿＿＿＿

❷ 音声を聞いて、読み上げられた言葉がイラストの内容と一致する場合には「✓」を、一致しない場合には「×」を書きなさい。　🔊174

① ☐

② ☐

③ ☐

④ ☐

⑤ ☐

⑥ ☐
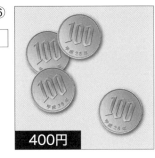

🔊 聞き取り問題

❸音声を聞いて、問いに対する答えを書きなさい。 🔊175

①红色的衣服多少钱？

_____

②绿色的衣服多少钱？

_____

③她买红色的衣服还是绿色的衣服？

_____

④一共多少钱？

_____

读一读 🔊176

「赠 别」（別れに贈る）
zèng bié

杜牧（杜牧）
Dù Mù

多 情 却 似 总 无 情，
duō qíng què sì zǒng wú qíng,

唯 觉 樽 前 笑 不 成。
wéi jué zūn qián xiào bù chéng.

蜡 烛 有 心 还 惜 别，
là zhú yǒu xīn hái xī bié,

替 人 垂 泪 到 天 明。
tì rén chuí lèi dào tiān míng.

多情は却って似たり総て無情なるに、
唯だ覚ゆ 樽前に笑いの成らざるを。
蝋燭 心有りて還って別れを惜しみ、
人に替わりて泪を垂れ天明に到る。

本课で学習すること

❶ 動詞、助動詞「要」　　　**❷** 比較文「比」　　　**❸** 比較文「不如」、「没有」

本文　🔊179

A：你 要 买 什么？

B：我 要 买 一 双 鞋。

A：这 双 鞋 怎么样？

B：这 双 太 贵 了！

A：那 双 比 这 双 便宜。

B：是 啊，但是 那 双 不如 这 双 好。

語句　🔊178

要 yào [助動][動] 〜したい、〜しなけ
　ればならない、〜するつもり、要る

双 shuāng [量] ペアになるもの

鞋 xié [名] 靴

比 bǐ [前] 〜に比べて、〜より

是啊 shì a そうですね

但是 dànshì [接] でも、しかし

不如 bùrú 〜ほどではない、〜には
　及ばない

本文のピンイン

A：Nǐ yào mǎi shénme？

B：Wǒ yào mǎi yì shuāng xié.

A：Zhè shuāng xié zěnmeyàng？

B：Zhè shuāng tài guì le！

A：Nà shuāng bǐ zhè shuāng piányi.

B：Shì a, dànshì nà shuāng bùrú zhè shuāng hǎo.

文法事項

1　動詞、助動詞「要」

「要」は動詞では「要る、必要とする」を意味し、助動詞では「したい、しなければならない、するつもり」を意味する。助動詞は「S＋要＋V＋O」のように、動詞の前に置く。否定文は「不用」となり「〜する必要はない」と訳す。また「不要＋V」は「禁止（〜してはならない）」となることに注意する。

🔊181

【動詞】「要る、必要とする」

从你家到学校要多长时间？
Cóng nǐ jiā dào xuéxiào yào duōcháng shíjiān？

你要咖啡吗？
Nǐ yào kāfēi ma？

【助動詞】「したい」、「しなければならない」、「するつもり」

姐姐要学汉语。	我要减肥。
Jiějie yào xué Hànyǔ.	Wǒ yào jiǎnféi.
你要去哪儿？	学生要好好学习。
Nǐ yào qù nǎr？	Xuésheng yào hǎohǎo xuéxí.
吃饭前要洗手。	买东西要交钱。
Chīfàn qián yào xǐshǒu.	Mǎi dōngxi yào jiāo qián.
他不用打工。	
Tā búyòng dǎgōng.	

【不要 + V】「～してはならない」

请不要在教室里吃东西。　　　　　不要玩火！
Qǐng búyào zài jiàoshì lǐ chī dōngxi.　　Búyào wán huǒ！

語句 🔊180			
减肥 jiǎnféi 動 ダイエットをする		交 jiāo 動 支払う	
好好 hǎohǎo 副 しっかり、充分に		请 qǐng どうぞ～してください	
学习 xuéxí 動 勉強する		玩 wán 動 遊ぶ	
洗手 xǐshǒu 手を洗う		火 huǒ 名 火	

2　比較文「比」

「主語＋比＋（比較対象）＋形容詞・動詞」のように置き、「主語は（比較対象）より形容詞・動詞」と訳せばよい。また比較した結果（程度や差など）が加わる場合は述語の後に付け足せばよい（「我比你大两岁」の「两岁」、「今天比昨天冷得多」の「得多」など）。

🔊 183

广州比北京热。
Guǎngzhōu bǐ Běijīng rè.

绿色的围巾比红色的漂亮。
Lǜsè de wéijīn bǐ hóngsè de piàoliang.

我比你大两岁。
Wǒ bǐ nǐ dà liǎngsuì.

这双鞋比那双贵三十块钱。
Zhè shuāng xié bǐ nà shuāng guì sānshí kuài qián.

今天比昨天冷得多。
Jīntiān bǐ zuótiān lěng de duō.

哥哥比弟弟高一点儿。
Gēge bǐ dìdi gāo yìdiǎnr.

語句 🔊182					
广州 Guǎngzhōu 名 広州		大 dà 形 大きい		高 gāo 形 高い	
热 rè 形 暑い、熱い		冷 lěng 形 寒い		一点儿 yìdiǎnr 少し	
漂亮 piàoliang 形 きれい		～得多 ～ de duō ずっと～			

3　比較文「不如」、「没有」

「不如」「没有」はどちらも「（比較対象）ほど～ではない」を意味する。比較文「主語＋比＋（比較対象）＋形容詞・動詞」の「比」と置き換えればよい。なお、「不如」は「如かず」と書き下すことができ、これは所謂「漢文」の授業で学習する内容でもあり、古代の中国語の表現が現代にも継続して用いられる一例である。

🔊 185

汽车不如火车快。
Qìchē bùrú huǒchē kuài.

这个西瓜没有那个甜。
Zhège xīguā méiyǒu nàge tián.

弟弟不如哥哥聪明。
Dìdi bùrú gēge cōngmíng.

去年没有今年冷。
Qùnián méiyǒu jīnnián lěng.

語句 🔊184			
汽车 qìchē 名 自動車		甜 tián 形 甘い	
火车 huǒchē 名 列車		聪明 cōngmíng 形 賢い	
西瓜 xīguā 名 スイカ		去年 qùnián 名 去年	

練習問題

❶ イラストを見て、語句とピンインを書きなさい。

① 単語：_____

　 ピンイン：_____

② 単語：_____

　 ピンイン：_____

③ 単語：_____

　 ピンイン：_____

④ 単語：_____

　 ピンイン：_____

⑤ 単語：_____

　 ピンイン：_____

⑥ 単語：_____

　 ピンイン：_____

❷ 語句を並べ替えて文を作り、日本語に訳しなさい。

① 拉面　咖喱饭　好吃　比　_____

　 訳：_____

② 飞机　火车　不如　快　_____

　 訳：_____

③ 得多　他　我　大　比　_____

　 訳：_____

④ 没有　她姐姐　她　高　_____

　 訳：_____

⑤ 水　贵　牛奶　比　一点儿　_____

　 訳：_____

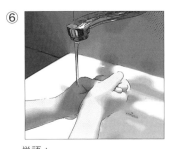

練習問題

❸ それぞれの文の答えになる文を選び、完成した対話を訳しなさい。

① 你要去哪儿？	Ⓐ 不如那个好吃。
② 这个面包好吃吗？	Ⓑ 明天比今天冷。
③ 你要茶吗？	Ⓒ 我要去银行。
④ 明天冷不冷？	Ⓓ 他没有我高。
⑤ 你弟弟高吗？	Ⓔ 我不要，谢谢。

① ☐　訳：＿＿＿＿＿＿＿＿＿＿＿＿＿＿＿＿

＿＿＿＿＿＿＿＿＿＿＿＿＿＿＿＿＿＿

② ☐　訳：＿＿＿＿＿＿＿＿＿＿＿＿＿＿＿＿

＿＿＿＿＿＿＿＿＿＿＿＿＿＿＿＿＿＿

③ ☐　訳：＿＿＿＿＿＿＿＿＿＿＿＿＿＿＿＿

＿＿＿＿＿＿＿＿＿＿＿＿＿＿＿＿＿＿

④ ☐　訳：＿＿＿＿＿＿＿＿＿＿＿＿＿＿＿＿

⑤ ☐　訳：＿＿＿＿＿＿＿＿＿＿＿＿＿＿＿＿

＿＿＿＿＿＿＿＿＿＿＿＿＿＿＿＿＿＿

❹（　）に適当な言葉を入れて会話文を完成しなさい。

A：你（　　　　　　　　）买什么？
　　あなたは何を買いたいですか。

B：我要买一条围巾。
　　私はマフラー一枚を買いたいです。

A：（　　　　　　　　）？
　　これはどうですか。

B：很漂亮，（　　　　　　　　）？
　　きれいですね。おいくらですか。

A：100元。那条（　　　　　　　　）这条（　　　　　　　　），80元。
　　100元です。あれはこれより安いです。80元です。

B：（　　　　　　　　），但是（　　　　　　　　）。
　　そうですね。でもあれはこれほどきれいではありません。

❶ 音声を聞いて単語を選び、ピンインを書きなさい。　◀)) 186

Ⓐ 学习	Ⓑ 甜	Ⓒ 那么	Ⓓ 聪明	Ⓔ 交钱
Ⓕ 这么	Ⓖ 但是	Ⓗ 玩	Ⓘ 洗手	Ⓙ 去年

① ☐　ピンイン：_____　② ☐　ピンイン：_____

③ ☐　ピンイン：_____　④ ☐　ピンイン：_____

⑤ ☐　ピンイン：_____　⑥ ☐　ピンイン：_____

⑦ ☐　ピンイン：_____　⑧ ☐　ピンイン：_____

⑨ ☐　ピンイン：_____　⑩ ☐　ピンイン：_____

❷ 音声を聞いて、読み上げられた言葉がイラストの内容と 一致する場合には「✓」を、一致しない場合には「×」を書きなさい。　◀)) 187

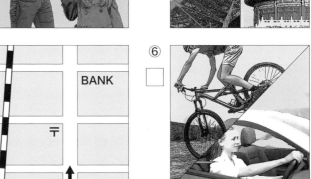

🔊 聞き取り問題

❸ 音声を聞いて、問いに対する答えを書きなさい。　🔊 188

① 拉面多少钱？

_____

② 咖喱饭多少钱？

_____

③ 他要吃什么？

_____

④ 有没有烤鱼？

_____

读一读　🔊 189

「清明（清明）」
qīng míng

杜 牧（杜 牧）
Dù Mù

清 明 时 节 雨 纷 纷，
qīng míng shí jié yǔ fēn fēn,

路 上 行 人 欲 断 魂。
lù shàng xíng rén yù duàn hún.

借 问 酒 家 何 处 有，
jiè wèn jiǔ jiā hé chù yǒu,

牧 童 遥 指 杏 花 村。
mù tóng yáo zhǐ xìng huā cūn.

清明の時節 雨紛紛として、
路上の行人 魂を断たんと欲す。
借問す 酒家は何れの処にか有ると、
牧童 遥かに指さす杏花村。

你游泳游得怎么样？（あなたは泳ぐのはどうですか？） 🔊190
Nǐ yóuyǒng yóude zěnmeyàng ?

本课で学習すること

1 助動詞「会」 **2** 様態補語

本 文 🔊192

A : 你 的 爱好 是 什么 ?

B : 游泳 和 弹 钢琴。

A : 我 会 游泳, 但是 不会 弹 钢琴。

B : 你 游泳 游得 怎么样 ?

A : 我 游得 不太 好。
    你 游得 很 好 吧 ?

B : 还 可以。

語句 🔊191
游泳 yóuyǒng 動 泳ぐ
游 yóu 動 泳ぐ
得 de 助 様態補語を導く
爱好 àihào 名 趣味
弹 tán 動 演奏する
钢琴 gāngqín 名 ピアノ
会 huì 助動 ～できる
还可以 hái kěyǐ まあまあ

本文のピンイン

A : Nǐ de àihào shì shénme ?

B : Yóuyǒng hé tán gāngqín.

A : Wǒ huì yóuyǒng, dànshì bú huì tán gāngqín.

B : Nǐ yóuyǒng yóude zěnmeyàng ?

A : Wǒ yóude bútài hǎo. Nǐ yóude hěn hǎo ba ?

B : Hái kěyǐ.

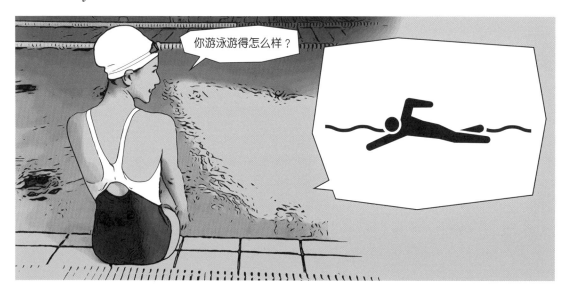

你游泳游得怎么样？

文法事項

1 助動詞「会」

「会」は「可能（〔習得して〕〜できる）」を意味する場合と、「可能性（〜だろう・するはずである）」を意味する場合とがあり、「S＋会＋V＋O」のように置かれる。

🔊 194

❖「（習得して）〜できる」

我会说汉语。
Wǒ huì shuō Hànyǔ.

你会做中国菜吗？
Nǐ huì zuò Zhōngguócài ma ?

她不会打乒乓球。
Tā bú huì dǎ pīngpāngqiú.

他会不会开车？
Tā huì bu huì kāichē ?

❖「〜だろう・するはずである」

明天会下雪。
Míngtiān huì xiàxuě.

你的梦想一定会实现。
Nǐ de mèngxiǎng yídìng huì shíxiàn.

他明天不会来。
Tā míngtiān bú huì lái.

語句 🔊 193
打 dǎ 動 （手を使うスポーツ類を）する
乒乓球 pīngpāngqiú 名 卓球
下雪 xiàxuě 雪が降る
梦想 mèngxiǎng 名 夢
一定 yídìng 副 きっと、必ず
实现 shíxiàn 動 実現する

2 様態補語

中国語での補語は「述語のあらわす内容をさらに補足する」という意味 で用いられ、一般に述語の後ろに置かれる。様態補語はとくに述語のあらわす状態をさらに詳しく説明する機能を持つ。「S＋V＋得＋様態補語」あるいは「S＋（V）＋O＋V＋得＋様態補語」のように置かれ、「SがVするのが〜（様態補語）だ」あるいは「SがOをVするのが〜（様態補語）だ」のように訳せばよい。なお目的語を持つ場合は、目的語の直前の述語を省略してもよい。また、否定文は「我（跳）舞跳得不好」のように「様態補語」の部分を否定する。疑問文も同じく「她（打）乒乓球打得好不好？」のように、「様態補語」の部分を疑問形にすればよい。

🔊 196

我每天睡得很晚。
Wǒ měitiān shuìde hěn wǎn.

爸爸（开）车开得非常快。
Bàba (kāi)chē kāide fēicháng kuài.

我（跳）舞跳得不好。
Wǒ (tiào) wǔ tiàode bù hǎo.

她（打）乒乓球打得好不好？
Tā (dǎ) pīngpāngqiú dǎde hǎo bu hǎo ?

谁跑得最快？
Shéi pǎode zuì kuài ?

他（说）汉语说得很流利。
Tā (shuō) Hànyǔ shuōde hěn liúlì.

妈妈（做）中国菜做得特别好。
Māma (zuò) Zhōngguócài zuòde tèbié hǎo.

弟弟（写）字写得很难看。
Dìdi (xiě) zì xiěde hěn nánkàn.

你考试考得怎么样？
Nǐ kǎoshì kǎode zěnmeyàng ?

語句 🔊 195		
每天 měitiān 名 毎日	跳 tiào 動 踊る	考试 kǎoshì 名動 試験、試験をする
睡 shuì 動 眠る	舞 wǔ 名 ダンス	考 kǎo 動 受験する、試験をする
晚 wǎn 形 遅い	写 xiě 動 書く	跑 pǎo 動 走る
流利 liúlì 形 流暢だ	字 zì 名 字	最 zuì 副 最も、一番
特别 tèbié 副 非常に、特に	难看 nánkàn 形 見にくい	谁 shéi 代 誰

❶ イラストを見て、フレーズとピンインを書きなさい。

①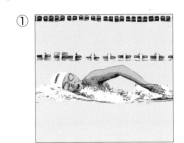

フレーズ：_____

ピンイン：_____

②

フレーズ：_____

ピンイン：_____

③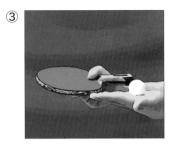

フレーズ：_____

ピンイン：_____

④

フレーズ：_____

ピンイン：_____

⑤

フレーズ：_____

ピンイン：_____

⑥

フレーズ：_____

ピンイン：_____

❷ それぞれの文の答えになる文を選び、完成した対話を訳しなさい。

① 你想去哪儿？

② 你要买哪个？

③ 明天你能来学校吗？

④ 你会弹钢琴吗？

⑤ 你汉语说得怎么样？

Ⓐ 我要买绿色的。

Ⓑ 我想去教室。

Ⓒ 我不会。

Ⓓ 还可以。

Ⓔ 对不起，明天我要去东京。

① ☐　訳：_____

_____

② ☐　訳：_____

_____

③ ☐　訳：_____

_____

④ ☐ 訳：_____

_____

⑤ ☐ 訳：_____

_____

❸（　　）に適当な言葉を入れて会話文を完成しなさい。

A：你的（　　　　　　　　　　）是什么？

あなたの趣味は何ですか。

B：（　　　　　　　　　　）书和（　　　　　　　　　　）乒乓球。

本を読むことと卓球をすることです。

A：我也喜欢（　　　　　　　　　）书。

私も本を読むことが好きです。

B：你（　　　　　　　　　）吗？

あなたは卓球をすることができますか。

A：我（　　　　　　），但是（　　　　　　　　）。你（　　　　　　　）很好吧？

できます。でも、あまり得意ではありません。あなたは上手でしょう？

B：（　　　　　　　　）。

まあまあです。

❹ 下記の日本語を中国語に訳しなさい。

> 中華料理はとても美味しいです。私は中華料理が大好きです。私の姉の趣味は中華料理を作ることです。彼女はマーボー豆腐を作るのがとても上手です。しかし、彼女は餃子が作れません（不会包饺子）。

_____

_____

語句　　🔊 197
喜欢 xǐhuan 動 好きだ
麻婆豆腐 mápó dòufu 名 麻婆豆腐
包饺子 bāo jiǎozi 餃子をつくる

🔊 聞き取り問題

❶ 音声を聞いて単語を選び、ピンインを書きなさい。 🔊 198

Ⓐ一定	Ⓑ梦想	Ⓒ每天	Ⓓ流利	Ⓔ睡
Ⓕ实现	Ⓖ难看	Ⓗ考试	Ⓘ特别	Ⓙ晚

① ☐　ピンイン：＿＿＿＿＿＿＿＿　　② ☐　ピンイン：＿＿＿＿＿＿＿＿

③ ☐　ピンイン：＿＿＿＿＿＿＿＿　　④ ☐　ピンイン：＿＿＿＿＿＿＿＿

⑤ ☐　ピンイン：＿＿＿＿＿＿＿＿　　⑥ ☐　ピンイン：＿＿＿＿＿＿＿＿

⑦ ☐　ピンイン：＿＿＿＿＿＿＿＿　　⑧ ☐　ピンイン：＿＿＿＿＿＿＿＿

⑨ ☐　ピンイン：＿＿＿＿＿＿＿＿　　⑩ ☐　ピンイン：＿＿＿＿＿＿＿＿

❷ 音声を聞いて空白を埋め、日本語に訳し、さらに会話しなさい。 🔊 199

A：你（　　　　　　　　　　）吃咖喱饭吗？

訳：＿＿＿＿＿＿＿＿＿＿＿＿＿＿＿＿＿＿＿＿＿＿＿＿＿＿＿＿

B：我（　　　　　　　　　　）吃咖喱饭。

訳：＿＿＿＿＿＿＿＿＿＿＿＿＿＿＿＿＿＿＿＿＿＿＿＿＿＿＿＿

A：你（　　　　　　　　　　）做咖喱饭吗？

訳：＿＿＿＿＿＿＿＿＿＿＿＿＿＿＿＿＿＿＿＿＿＿＿＿＿＿＿＿

B：我（　　　　　　　　　　）。

訳：＿＿＿＿＿＿＿＿＿＿＿＿＿＿＿＿＿＿＿＿＿＿＿＿＿＿＿＿

A：你（　　　　　　　　　　）学吗？

訳：＿＿＿＿＿＿＿＿＿＿＿＿＿＿＿＿＿＿＿＿＿＿＿＿＿＿＿＿

B：我（　　　　　　　　　　）学。你做咖喱饭（　　　　　　　　　　）？

訳：＿＿＿＿＿＿＿＿＿＿＿＿＿＿＿＿＿＿＿＿＿＿＿＿＿＿＿＿

A：（　　　　　　　　　　）。

訳：＿＿＿＿＿＿＿＿＿＿＿＿＿＿＿＿＿＿＿＿＿＿＿＿＿＿＿＿

🔊 聞き取り問題

❸ 音声を聞いて、問いに対する答えを書きなさい。　🔊 200

① 她的爱好是什么？

_____

② 他的爱好是什么？

_____

③ 她会不会做中国菜？

_____

④ 她中国菜做得怎么样？

_____

读一读　🔊 201

「江　雪」（江雪）
jiāng xuě

柳　宗元　（柳 宗元）
Liǔ Zōngyuán

千 山 鸟 飞 绝，
qiān shān niǎo fēi jué,

万 径 人 踪 灭。
wàn jìng rén zōng miè.

孤 舟 蓑 笠 翁，
gū zhōu suō lì wēng,

独 钓 寒 江 雪。
dú diào hán jiāng xuě.

千山に鳥飛ぶこと絶え、
万径に人蹤の滅す。
孤舟に蓑笠の翁あり、
独り釣る寒江の雪に。

~fèn ～份 量 ～人前〔十五〕

fēnzhōng 分钟 量 分間〔十一〕

fùjìn 附近 名 付近、近所〔十四〕

G

gālífàn 咖喱饭 名 カレーライス〔六〕

gàn 干 動 する〔十〕

gāngqín 钢琴 名 ピアノ〔十七〕

gāo 高 形 高い

ge 个 量 一般にものを数える〔十二〕

gēge 哥哥 名 兄〔十〕

~ge xiǎoshí ～小时 時間〔十一〕

~ge xīngqī ～个星期 週間〔十一〕

~ge yuè ～个月 ヶ月〔十一〕

gōnggòng chǎngsuǒ 公共场所 名 公共の場所〔十三〕

gōngjiāochē 公交车 名 バス〔十一〕

gōngsī 公司 名 会社〔十〕

gōngzuò 工作 名 仕事〔十〕

gǒu 狗 名 犬〔十二〕

Guǎngzhōu 广州 名 広州〔十六〕

guì 贵 形 （値段が）高い〔十一〕

guo 过 助 ～したことがある〔十三〕

H

hái 还 副 さらに、まだ〔十二〕

hái kěyǐ 还可以 まあまあ〔十七〕

háishì 还是 接 それとも〔十五〕

Hànyǔ 汉语 名 中国語〔十〕

hǎo 好 形 よい〔十〕

hào 号 名 日〔八〕

hǎoa 好啊 いいですね〔九〕

hǎochī 好吃 形 （食べ物が）おいしい〔十〕

hǎode 好的 わかりました〔九〕

hǎohǎo 好好 副 しっかり、充分に〔十六〕

hǎo zhǔyi 好主意 いい考え〔十三〕

hē 喝 動 飲む〔六〕

hé 和 前 ～と〔十三〕

hěn 很 副 とても〔十一〕

hóngsè 红色 名 赤〔十五〕

hòu 后 方 後ろ〔十四〕

hòutiān 后天 名 明後日〔八〕

huì 会 助動 ～できる〔十七〕

huǒ 火 名 火〔十六〕

huǒchē 火车 名 列車〔十六〕

I

lāmiàn 拉面 名 ラーメン〔六〕

lái 来 動 来る〔十〕

lěng 冷 形 寒い、冷たい〔十六〕

liàng 辆 量 車の台数を数える〔十二〕

J

jǐ 几 疑 いくつ（10以下）〔七〕

jǐ diǎn 几点 疑 何時〔九〕

jiā 家 名 家〔十一〕

jiàn 件 量 ものを数える〔十二〕

jiǎnféi 减肥 動 ダイエットをする〔十六〕

jiàngtāng 酱汤 名 味噌汁〔十二〕

jiāo 交 動 支払う〔十六〕

jiǎo 角 量 角〔十五〕

jiào 叫 動 ～と言います〔七〕

jiàoshì 教室 名 教室〔六〕

jiànmiàn 见面 動 会う〔九〕

jiějie 姐姐 名 姉〔九〕

jiéshù 结束 動 終了する〔十一〕

jīnnián 今年 名 今年〔七〕

jīntiān 今天 名 今日〔八〕

jiǔ 酒 名 酒〔十三〕

K

kāfēi 咖啡 名 コーヒー〔六〕

kāichē 开车 車を運転する〔十三〕

kāishǐ 开始 動 始まる〔十一〕

kàn 看 動 見る、読む〔九〕

kǎo 考 動 受験する、試験をする〔十七〕

kǎoshì 考试 名動 試験、試験をする〔十七〕

kǎoyú 烤鱼 名 焼き魚〔十二〕

kè 刻 量 15分〔九〕

kě'ài 可爱 形 かわいい〔十一〕

kèběn 课本 名 教科書〔十〕

kěyǐ 可以 助動 ～できる（可能・許可を表す）〔十三〕

~kè (zhōng) ～刻（钟）名 15分間〔十一〕

kǒu 口 量 世帯人数を数える〔十四〕

kuài 快 形 速い〔十一〕

kuài 块 量 元〔十五〕

L

lái 来 動 来る〔十〕

lǎolao 姥姥 名 母方の祖母〔九〕

lǎoye 姥爷 名 母方の祖父〔九〕

le 了 助 新たな状況の発生・変化および完了を示す〔十〕

leng 冷 形 寒い〔十六〕

lǐ 里 方 ～の中〔十四〕

Lǐ Méi 李梅 名 （姓名）李梅〔七〕

liúlì 流利 形 流暢だ〔十七〕

Liú Lìli 刘丽丽 名 劉麗麗〔七〕

lǜsè 绿色 名 緑色〔十五〕

M

ma 吗 助 ～ですか（疑問をあらわす）〔六〕

māma 妈妈 名 母〔九〕

mápódòufu 麻婆豆腐 名 麻婆豆腐〔十七〕

mǎi 买 動 買う〔十〕

máo 毛 量 角〔十五〕

màn 慢 形 遅い〔十一〕

máng 忙 形 忙しい〔十一〕

méi (yǒu) 没（有）ない、完了の否定〔十〕

mèimei 妹妹 名 妹〔九〕

měitiān 每天 名 毎日〔十七〕

méiwèntí 没问题 問題ない〔九〕

Měiyuán 美元 名 米ドル〔十五〕

mén 门 名 門、ドア〔十四〕

mèngxiǎng 梦想 名 夢〔十七〕

mǐfàn 米饭 名 ライス〔十二〕

~miàn/mian ～面 「边」に同じ〔十四〕

miànbāo 面包 名 パン〔十二〕

~miǎo (zhōng) ～秒（钟）量 秒間〔十一〕

míngbai le 明白了 わかりました〔十四〕

míngtiān 明天 名 明日〔八〕

míngtiānjiàn 明天见 明日会いましょう〔九〕

míngzi 名字 名 名前（フルネーム）〔七〕

N

nà 那 代 あれ、あの〔十二〕

nà 那 代 それ〔十三〕

nǎ guó rén 哪国人 どこの国の人〔六〕

nǎlǐ 哪里 疑 どこ〔十四〕

nàlǐ 那里 代 そこ、あそこ〔十四〕

nàme 那么 そのように〔十六〕

nǎinai 奶奶 名 父方の祖母〔九〕

nán 南 方 南〔十四〕

nánbian 南边 方 南側〔十四〕

nánkàn 难看 形 見にくい〔十七〕

nǎr 哪儿 代 どこ〔六〕

ne 呢 助 ～は？〔七〕

néng 能 助動 ～できる〔十三〕

nǐ 你 名 あなた〔六〕

nǐ hǎo 你好 こんにちは〔七〕

nǐmen 你们 名 あなたたち〔六〕

nián 年 名 年〔八〕

~nián ～年 量 年間〔十一〕

nín 您 名 あなた（敬意を示す）〔六〕

Nín guì xìng 您贵姓 あなたの名字はなんですか〔七〕

niúnǎi 牛奶 名 牛乳〔十二〕

P

pán 盘 量 皿に盛ったものを数える〔十二〕

páng 旁 方 そば、鄰〔十四〕

pángbiān 旁边 名 そば、鄰〔十四〕

pǎo 跑 動 走る〔十七〕

piányi 便宜 形 （値段が）安い〔十一〕

piàoliang 漂亮 形 きれい〔十六〕

píng 瓶 量 瓶を数える〔十二〕

pīngpāngqiú 乒乓球 名 卓球〔十七〕

Q

qìchē 汽车 名 自動車〔十六〕

qiān 千 名 千〔十五〕

qián 前 方 前〔十四〕

qián 钱 名 お金〔十四〕

qiántiān 前天 名 一昨日〔八〕

qǐng 请 どうぞ〜してください〔十六〕

qù 去 動 行く〔六〕

qùnián 去年 名 去年〔十六〕

R

rè 热 形 暑い、熱い〔十六〕

rén 人 名 人〔十二〕

Rénmínbì 人民币 名 人民元〔十五〕

rì 日 名 日〔八〕

Rìběnrén 日本人 名 日本人〔六〕

Rìyuán 日元 名 日本円〔十五〕

S

shàng 上 方 上〔十四〕

shāngdiàn 商店 名 商店、お店〔十〕

shàng ge yuè 上个月 名 先月〔八〕

shàngkè 上课 授業をする、授業を受ける〔十〕

shàngwǔ 上午 名 午前〔九〕

shàng xīngqī 上星期 名 先週〔八〕

shéi 谁 代 誰〔十七〕

shénme 什么 疑 何〔六〕

shì 是 動 〜だ〔六〕

shì 事 名 用事、事情〔十三〕

shì 试 動 試す〔十三〕

shì a 是啊 そうですね〔十六〕

shí'èr diǎn bàn 十二点半 名 12時半〔九〕

shíhou 时候 名 時〔十三〕

shítáng 食堂 名 食堂〔六〕

shíxiàn 实现 動 実現する〔十七〕

shōushi 收拾 動 かたづける〔十三〕

shū 书 名 本〔九〕

shūdiàn 书店 名 本屋〔九〕

shuāng 双 量 ペアになるもの〔十六〕

shuǐ 水 名 水〔十二〕

shuì 睡 動 眠る〔十七〕

shuǐguǒ 水果 名 果物〔十〕

suì 岁 量 歳〔七〕

suìshu 岁数 名 年齢を指す〔七〕

T

tā 他 名 彼〔六〕

tā 她 名 彼女〔六〕

tā 它 名 それ〔六〕

tài~le 太~了 〜過ぎる〔十三〕

tāmen 他们 名 彼ら〔六〕

tāmen 她们 名 彼女ら〔六〕

tāmen 它们 名 それら〔六〕

tái 台 量 機械・設備を数える〔十二〕

tán 弹 動 演奏する〔十七〕

tèbié 特别 副 非常に、特に〔十七〕

~tiān ～天 名 日間〔十一〕

tián 甜 形 甘い〔十六〕

tiáo 条 量 細長いものを数える〔十二〕

tiào 跳 動 踊る〔十七〕

tīng 听 動 聴く〔十三〕

túshūguǎn 图书馆 名 図書館〔六〕

W

wài 外 方 外〔十四〕

wán 玩 動 遊ぶ〔十六〕

wǎn 碗 量 お椀を数える〔十二〕

wǎn 晚 形 遅い〔十七〕

wàn 万 名 万〔十五〕

wǎnshang 晚上 名 夕方〔九〕

Wáng 王 名 (名字) 王〔七〕

wéijīn 围巾 名 スカーフ〔十五〕

wǒ 我 名 私〔六〕

wǒmen 我们 名 私たち〔六〕

wǔ 舞 名 ダンス〔十七〕

wǔfàn 午饭 名 昼食〔九〕

X

xī 西 方 西〔十四〕

xīguā 西瓜 名 スイカ〔十六〕

xǐhuan 喜欢 動 好きだ〔十七〕

xǐshǒu 洗手 動 手を洗う〔十六〕

xià 下 方 下〔十四〕

xià ge yuè 下个月 名 来月〔八〕

xiàwǔ 下午 名 午後〔九〕

xià xīngqī 下星期 名 来週〔八〕

xià xīngqīrì 下星期日 名 来週の日曜日〔八〕

xiàxuě 下雪 雪が降る〔十七〕

xiàyǔ 下雨 雨が降る〔十六〕

xiànzài 现在 名 現在〔九〕

xiǎng 想 助動 〜したい〔十二〕

xié 鞋 名 靴〔十六〕

xiě 写 動 書く〔十七〕

xièxie 谢谢 ありがとう〔十二〕

xìnyòngkǎ 信用卡 名 クレジットカード〔十四〕

xìng 姓 名 名字〔七〕

xīngqī 星期 名 周、曜日〔八〕

xīngqīliù 星期六 名 土曜日〔八〕

xīyān 吸烟 たばこを吸う〔十三〕

xué 学 動 勉強する〔十〕

xuésheng 学生 名 学生〔六〕

xuéxí 学习 動 勉強する〔十六〕

xuéxiào 学校 名 学校〔六〕

Y

yào 要 助動 動 〜したい、〜しなければならない、
　〜するつもり、要る〔十六〕

yě 也 副 〜も、〜もまた〔六〕

yéye 爷爷 名 父方の祖父〔九〕

yì 亿 名 億〔十五〕

yìdiǎnr 一点儿 少し〔十六〕

yídìng 一定 副 きっと、必ず〔十七〕

yīfu 衣服 名 洋服〔十二〕

yígòng 一共 副 合計、全部で〔十五〕

yíhàn 遗憾 形 残念だ〔十三〕

yǐjīng 已经 副 すでに、もう〔十〕

yīnyuè 音乐 名 音楽〔十三〕

yìqǐ 一起 副 一緒に〔九〕

yínháng 银行 名 銀行〔十一〕

yóu 游 動 泳ぐ〔十七〕

yǒu 有（14課参照）いる、ある〔十二〕

yǒu 有（14課参照）動 いる、ある〔十三〕

yǒu 有 動 いる、ある〔十四〕

yòu 右 方 右〔十四〕

yǒu diǎnr 有点儿 副 少し〔十二〕

yóujú 邮局 名 郵便局〔十一〕

yóuyǒng 游泳 動 泳ぐ〔十七〕

yuan 元 名 中国のお金の単位〔十五〕

yuǎn 远 形 遠い〔十一〕

yuándàn 元旦 名 元旦〔十三〕

yuè 月 名 月〔八〕

Z

zǎofàn 早饭 名 朝食〔十二〕

zǎoshang 早上 名 朝〔九〕

zǎoshang hǎo 早上好 おはようございます〔六〕

zài 在 前 〜で〔九〕

zài 在 動 いる、ある〔十四〕

zěnmeyàng 怎么样 疑 どうですか?〔九〕

Zhāng 张 名 （名字）張〔七〕

zhè 这 代 これ、この〔十二〕

zhè ge yuè 这个月 名 今月〔八〕

zhèlǐ 这里 代 ここ〔十〕

zhème 这么 このように〔十六〕

zhī 只 量 動物・鳥類を数える〔十二〕

zhǐ 只 副 ただ〜だけ〔十二〕

Zhōngguó 中国 名 中国〔十〕

Zhōngguócài 中国菜 名 中華料理〔十三〕

著者

❖ 王宇南 Wang Yunan
　西南学院大学（言語教育センター）

❖ 栗山雅央 Kuriyama Masahiro
　西南学院大学（言語教育センター）

音源ダウンロード

ヒアリングとダウンロードができます。下記のURL、またはQRコードにてアクセスしてください。

https://shukousha.com/yibuyibu/

一歩一歩 学汉语　初級実践中国語

令和2年（2020年）3月31日　第1刷発行
令和4年（2022年）3月31日　第2刷発行

著者 ···················· 王宇南・栗山雅央
発行者 ················· 川端幸夫
発行 ···················· 中国書店
　　　　　　　　　〒812-0035 福岡市博多区中呉服町5番23号
　　　　　　　　　電話 092-271-3767　FAX 092-272-2946
　　　　　　　　　http://www.cbshop.net/
印刷・製本 ············ モリモト印刷株式会社

ISBN 978-4-903316-66-6 C3087

中国語音節表 🔊202

母音 / 子音	a	o	e	-i	-i	er	ai	ei	ao	ou	an	en	ang	eng	-ong	i	ia	ie	iao
母音のみの表記	a	o	e			er	ai	ei	ao	ou	an	en	ang	eng		yi	ya	ye	yao
b	ba	bo					bai	bei	bao		ban	ben	bang	beng		bi		bie	biao
p	pa	po					pai	pei	pao	pou	pan	pen	pang	peng		pi		pie	piao
m	ma	mo	me				mai	mei	mao	mou	man	men	mang	meng		mi		mie	miao
f	fa	fo						fei		fou	fan	fen	fang	feng					
d	da		de				dai	dei	dao	dou	dan	den	dang	deng	dong	di	dia	die	diao
t	ta		te				tai		tao	tou	tan		tang	teng	tong	ti		tie	tiao
n	na		ne				nai	nei	nao	nou	nan	nen	nang	neng	nong	ni		nie	niao
l	la	lo	le				lai	lei	lao	lou	lan		lang	leng	long	li	lia	lie	liao
g	ga		ge				gai	gei	gao	gou	gan	gen	gang	geng	gong				
k	ka		ke				kai	kei	kao	kou	kan	ken	kang	keng	kong				
h	ha		he				hai	hei	hao	hou	han	hen	hang	heng	hong				
j																ji	jia	jie	jiao
q																qi	qia	qie	qiao
x																xi	xia	xie	xiao
zh	zha		zhe	zhi			zhai	zhei	zhao	zhou	zhan	zhen	zhang	zheng	zhong				
ch	cha		che	chi			chai		chao	chou	chan	chen	chang	cheng	chong				
sh	sha		she	shi			shai	shei	shao	shou	shan	shen	shang	sheng					
r			re	ri					rao	rou	ran	ren	rang	reng	rong				
z	za		ze		zi		zai	zei	zao	zou	zan	zen	zang	zeng	zong				
c	ca		ce		ci		cai		cao	cou	can	cen	cang	ceng	cong				
s	sa		se		si		sai		sao	sou	san	sen	sang	seng	song				